Ballif, Philipp

Roemische Strassen in Bosnien und Herzegowina

Herzegowina

1. Teil

Ballif, Philipp

Roemische Strassen in Bosnien und Herzegowina

1. Teil

Inktank publishing, 2018

www.inktank-publishing.com

ISBN/EAN: 9783750125254

All rights reserved

RÖMISCHE STRASSEN

IN BOSNIEN UND DER HERCEGOVINA

VON

PHILIPP BALLIF,

BOSN.-HERCEG. BAURATH.

HERAUSGEGEBEN

VOM

BOSNISCH-HERCEGOVINISCHEN LANDESMUSEUM.

I. THEIL

MIT 24 ABBILDUNGEN AUF 12 TAFELN UND 1 KARTE

NEBST EINEM ANHANG ÜBER DIE INSCHRIFTEN

VON

DR. KARL PATSCH.

I n h a l t.

		Seite
Einleitung	. . . . .	1
Construction der römischen Strassen .		6
Nachgewiesene Römerstrassen:		
1. Strasse von Kastello di Grab über Risanovći—Unacthal- Petrovae ins Samathal .		12
2. Strasse: Prolog—Halapić—Glaviec—Crnagora—Pećka—Banjaluka .		17
3. Strasse: Prolog - Livno—Šuica—Kupreš		21
4. Verbindungen zwischen dem Glamočko- und dem Livanjskopolje		23
5. Strasse vom Kuprešer Felde ins Plivathal		24
6. Strasse von Trilj (beziehungsweise Lovreć) über Županjac ins Innere Bosniens .		25
7. Weitere Strassen im Duvnopolje .		28
8. Strassen in Posusje und Rakitno		30
9. Strasse Salona—Narona (Vid)		31
10. Strasse von Narona im Narentathale aufwärts bis in die Ebene von Sarajevo		32
11. Strasse Narona—Nevesinjskopolje . .		36
12. Strasse von Ragusa vecchia nach Trebinje		37
13. Strasse aus dem Sarajevskopolje über die Romanja planina ins Drinathal .		38
14. Die Drinathalstrasse		40
Schluss.		44
Verzeichniss der in Bosnien und der Hercegovina aufgefundenen Meilensteine .		48
Anhang: Die epigraphischen Denkmäler der römischen Strassen in Bosnien und der Hercegovina.		
Von Dr. Karl Patsch		52

Verzeichniss der Illustrationen.

Fig. 1. Querprofil der Römerstrasse (Saeculan) bei Hardomilje nächst dem Dorfe Zvirići.

„ 2. Schematische Darstellung der Spurrillen.

3. Spurrillen am westlichen Hauge des Prevalosattels.

„ 4. Spurrillen bei Gradac nächst der Kuppe Golubovina.

„ 5. Spurrille bei Zukovica am Wege Imoski—Duvnopolje.

„ 6. Römerstrasse bei Lipa gegen Proslap.

„ 7. Römerstrasse bei Šuica gegen Han Marian.

„ 8. Spurrille der Strasse Salona—Narona.

„ 9. Römerstrasse Sarajevo—Podromanja—Drinathal.

„ 10. Römischer Meilenstein Nr. 23 am Wege nach Mliniste, Strasse Salona—Servitium.

„ 11. Römischer Meilenstein Nr. 24 bei Skatkavae, Strasse Salona—Servitium.

„ 12. Römische Meilensteingruppe Nr. 44 der Strasse Sarajevo—Romanja-Planina—Drinathal.

„ 13. Strassenzeichen im Kupreskopolje.

„ 14. Römerstein bei Stubo vrelo im Kupreskopolje.

„ 15. Grabmonument aus Crkvina bei Šipovo.

„ 16. Damm bei Prskala staje.

„ 17. Inschriftstein aus Letka, gegenwärtig im katholischen Pfarrhause in Zupanjac.

„ 18. Römische Baureste aus Gradac im Posušjepolje.

„ 19. Römische Baureste aus Gradac im Posušjepolje.

„ 20. Inschrifttafel aus Glavaticevo.

„ 21. Römische Meilensteine der Strasse Narona—Sarajevskopolje.

„ 22. Römische Meilensteine der Strasse Narona—Sarajevskopolje.

„ 23. Bruchstück eines römischen Gesimssteines bei Orahovica.

„ 24. Altbosnisch-christliche Grabsteine.

Einleitung.

In dem vom atlantischen bis zum indischen Ocean sich ausdehnenden Strassennetze des römischen Reiches und seiner orientalischen Nachbarreiche, wie es uns durch die Peutinger'sche Tafel überliefert ist, finden wir auch vier Routen verzeichnet, die das heutige Bosnien und die Hercegovina durchziehen.

Das sogenannte Itinerarium Antonini und der Geographus Ravennas geben uns ebenfalls von dem Vorhandensein römischer Strassen in den genannten Ländern Kunde. Leider sind alle diese Darstellungen theils unvollständig, theils von Natur aus dunkel, so dass aus denselben allein die genaue Führung der Römerstrassen, sowie die Lage der einst in Bosnien und der Hercegovina gelegenen römischen Niederlassungen, mit zweifelloser Bestimmtheit nicht nachgewiesen werden kann.

Einige Anläufe zur Lösung dieses Problems sind in den letzten Decennien gemacht worden. BLAU, HOERNES, EVANS und Andere haben durch Forschungen an Ort und Stelle die Bruchstücke einzelner Strassenstrecken constatirt und den weiteren Verlauf derselben durch Combinationen aus den Distanzangaben der Itinerarien, sowie unter Rücksichtnahme auf sonstige Funde aus der Römerzeit und auf mündliche Mittheilungen der Bevölkerung zu ermitteln gesucht.

Umfassende Reconstructionen haben mit Hilfe dieser Mittel namentlich Prof. Dr. WILHELM TOMASCHEK[1] und Dr. MORIZ HOERNES[2] unternommen.

Aber sowohl diese, als auch andere Annahmen, welche auf Grund neuer Entdeckungen römischer Alterthümer oder mit Benützung der im Volksmunde lebenden geschichtlichen Traditionen aufgestellt worden sind, harrten vielfach der Bestätigung durch die Auffindung und Constatirung thatsächlicher Strassenreste.

Als mir von Sr. Excellenz dem Herrn Reichs-Finanzminister von KÁLLAY der Auftrag gegeben wurde, bei meinen wiederholten Reisen im Lande den thatsächlich

---

[1] TOMASCHEK, Die vorslavische Topographie der Bosna, Hercegovina, Crnagora und der angrenzenden Gebiete. Mittheilungen der k. k. geogr. Gesellschaft, 1880, Seite 497 ff.

[2] HOERNES, Römische Strassen und Orte im heutigen Bosnien. (Mit einer Karte.) Sitzungsber. der phil.-hist. Classe der kaiserl. Akademie der Wissenschaften, XCIX. Band, 2. Heft, S. 926 ff.

vorhandenen Resten der Römerstrassen meine Aufmerksamkeit zu widmen und auf Grund dieser Funde mit Hinweglassung jeder speculativen Ergänzung durch literarische Quellen wenn möglich eine Karte des römischen Strassennetzes zu zeichnen, da hielt ich es für kaum möglich, diesem ehrenden Auftrage nur halbwegs zu entsprechen. Musste ich doch voraussetzen, dass die sichersten und auffallendsten Kennzeichen solcher Strassen, die Meilensteine, nicht minder der Zerstörung verfallen seien wie so viele andere Denkmale römischer Cultur in Bosnien-Hercegovina, dass daher ausser jenen Meilensteinen, aus welchen ich (im „Glasnik zemaljskog muzeja u Bosni i Hercegovini", Jahrgang 1891, S. 395—404) die Führung der Römerstrasse vom Unacthale über Petrovac bis Bravsko und deren Abzweigung einerseits gegen Kljuc, andererseits ins Sannathal nachweisen konnte, nicht viel mehr zu finden sein würde.

Von dem Vorkommen des zweiten, nach meiner Ansicht ebenso sicheren Erkennungszeichens römischer Strassenzüge, der in den Felsboden eingeschnittenen Spurrillen, war bis zu meiner vorerwähnten Publication im Lande soviel wie nichts bekannt. Auch in den mir zugänglichen gedruckten Berichten fand ich nur eine Notiz von Dr. O. BLAU,[1] welcher erwähnt, dass nach Aussage eines Ingenieurs im Passe Prolog eine in den Felsen eingeschnittene Strasse sichtbar sei, ferner eine Angabe des Paters BAKULA, welcher über ein ähnliches Vorkommen zwischen Rakitno und Seonica berichtet. Auf andere Ueberreste, wie Strassenpflasterungen oder Theile des künstlich hergestellten Strassenkörpers, konnte ich aber, um meiner Aufgabe genau zu entsprechen, nur dann Rücksicht nehmen, wenn der antike Charakter des betreffenden Strassenzuges wenigstens zum Theile schon in anderer Weise sichergestellt war, da die letztgenannten Spuren mit gleichem Rechte auch späteren Perioden zugeschrieben werden können.

Nur die Vertrautheit des Volkes mit der Form und dem Vorkommen der Meilensteine, sowie der in den Felsboden eingeschnittenen Spurrillen, konnte, im Vereine mit der Erweckung des allgemeinen Interesses an der mir zugewiesenen Aufgabe, zum Ziele führen. Diese Voraussetzung hat sich, wie der Erfolg lehrte, als richtig erwiesen. Nebst den Bemühungen einzelner behördlicher Organe und den freundlichen und schätzenswerthen Auskünften, welche ich mehreren der hochwürdigen Herren Franziskaner verdanke, fand ich unter der Bevölkerung selbst meine besten Mitarbeiter.

Allerdings ahnt das Volk nicht, welchen Zwecken die Meilensteine dienten, noch aus welcher Zeit diese und die Spurrillen stammen. Es hat die richtige Vorstellung, dass in den letzteren einst Wagen verkehrt haben müssen; wann es geschah — „Gott weiss es!"

---

[1] Dr. BLAU, Monatsberichte der Berliner Akademie der Wissenschaften, 1867, S. 744.

Besteht aber auch im Volke naturgemäss keine klare Idee von der geschichtlichen Bedeutung der Römerherrschaft, so lebt doch in einzelnen Gegenden das
Andenken an diese Epoche der Vergangenheit. Kein Wunder; denn selbst die
denkbar gründlichste Verwüstung seitens der Barbaren konnte nicht alle Spuren
der intensiven civilisatorischen Thätigkeit der Römer verwischen. Das Volk aber,
dessen geschichtliche Erinnerung mit Hilfe ebenso sagenhafter als fragmentarischer
Traditionen nur bis zur Zeit der bosnischen Könige, also an das Ende des Mittelalters zurückreicht, sinnt über jene von der Hinterlassenschaft späterer Zeiten
merklich verschiedenen Ueberreste nach und schreibt sie den „Grki“ (d. i. den
Griechen) zu. Es ist dies eine Ahnung der römischen Vorzeit des Landes, die
sich ebenso unbewusst fortpflanzt wie die antiken Formen mancher Gefässe, der
Gebrauch antiker Jugendspiele und die Erinnerung an die höhere Weihe mancher
Orte. In letzterer Beziehung ist als charakteristisch anzuführen, dass hierlands an
vielen Fundstätten römischer Baureste der Name „Crkvina“[1] haftet, und dass, wie
ich selbst in mehreren Fällen zu beobachten Gelegenheit hatte, die heutigen
Kirchen gern auf den einstigen Standplätzen römischer Tempel oder Gräber erbaut
wurden. So fand ich am Divinsattel bei Orahovica rechts an der Strasse nach
Plana das Gesimsstück eines römischen Tempels als Denkmal eines altbosnischen
Grabes verwendet. Andere Grabsteine desselben mittelalterlichen Friedhofes dienten
später zum Bau einer heute in Ruinen liegenden Kirche, die vielleicht in nicht
langer Zeit wieder neu erstehen und Zeugniss ablegen wird von der im Wandel der
Jahrtausende erhalten gebliebenen Heiligung dieses Ortes.

Dem näheren Verkehre mit dem mir hiebei liebgewordenen Volke der bosnischen und hercegovinischen Berge habe ich die erfolgreichste Unterstützung
meiner Forschungen zu verdanken. Am abendlichen Herdfeuer, wenn der einzige
Luxus der Hütte, der Findžan (die kleine Kaffeetasse) kreiste, lösten sich die Zungen,
und die Leute erzählten mir von ihren räthselhaften Beobachtungen. Hier hörte
ich auch zum ersten Male die volksthümliche Bezeichnung der Spurrillen: Kola išla,
Kola prolaziti.[2] Man sieht hieraus, dass die Bevölkerung den Zweck dieser Rinnen
kennt. Andererseits scheint jene Bezeichnung oft nur bildlich genommen zu
werden, denn wiederholt sahen mich die Leute ungläubig an, als ich ihnen mit-
theilte, es seien hier thatsächlich Wagen gefahren. Nebst den Meilensteinen verdanke ich aber fast ausschliesslich den „Kola išla“ die Constatirung des in der
Karte dargestellten Strassennetzes.

Eines dritten Factors, welcher ebenfalls wesentlich zur Auffindung der römischen
Wege beitrug, muss hier noch Erwähnung gethan werden. Es ist die richtige

---

[1] Ruinen einer Kirche.
[2] Abkürzung für „kuda su kola išla, kuda su kola prolazila“, wo Wagen gegangen sind.

1*

technische Auffassung der principiellen Ideen, welche die Römer bei der Herstellung ihrer Strassen leiteten. Kann es uns Wunder nehmen, dass ein Volk, welches in seinen monumentalen Bauwerken eine so hohe Kunststufe erreichte, auch im Strassenwesen, soweit es sich um die Wahl der Trace handelt, den besten Grundsätzen der Technik folgte? Sobald ich diese Ueberzeugung gewonnen hatte, war es mir oftmals möglich, nach der Feststellung des Ausgangs- und des Endpunktes einer Strassenstrecke auch Zwischenglieder zu finden, indem ich, meinem Urtheil als Ingenieur vertrauend, die günstigste und kürzeste Richtung als wahrscheinliche Trace der römischen Strasse verfolgte. Es erscheint höchst merkwürdig, dass es den Römern möglich war, in dem topographisch so reich gegliederten Lande ohne Terrainkarten die richtigen Wege einzuschlagen.

Es wird selbstverständlich Niemand voraussetzen, dass der Zug der Römerstrassen sich in ununterbrochenen Linien verfolgen lasse. Nur sporadische, oftmals blos dem geübteren Auge erkennbare Reste verrathen die einstige Existenz jener ausgedehnten Communicationen.

Wo diese Reste in solcher Reihenfolge vorkommen, dass dadurch die Möglichkeit jeder anderen Führung der Trace ausgeschlossen erscheint, ist der betreffende Strassenzug in der beiliegenden Karte mit rother Farbe voll ausgezogen. In der gleichen Stärke, jedoch mit unterbrochener Linie, sind jene Strecken bezeichnet, welche nach der Terrainformation oder mit Rücksicht auf den Anfangs- und Endpunkt der Strasse, sowie endlich nach der Lage der aufgefundenen römischen Ansiedlungen kaum anders verlaufen sein dürften.

Ich konnte diese hypothetische Constatirung einzelner römischer Strassen nicht ganz vermeiden, da sonst die Continuität der Strassenführung nicht darzustellen gewesen wäre. Es muss jedoch ausdrücklich bemerkt werden, dass dieses Mittel zur Ergänzung der Karte nur dann in Anwendung kam, wenn ich den Bestand der betreffenden Strasse durch thatsächliche Spuren wenigstens an mehreren Orten nachzuweisen vermochte.

Die Localitäten, an welchen Strassenüberreste aufgefunden wurden, sind so weit als möglich theils im Texte, theils in der Karte mit ihrem gegenwärtigen Namen bezeichnet, wobei ich für die Construction meiner Karte die Generalstabskarten im Massstabe 1 : 150.000 und 1 : 75.000 zu Grunde legte.

Die Lesung der von mir gefundenen Meilenstein- und anderen Inschriften wurde nach Photographien und Gipsabgüssen im Archäologisch-epigraphischen Seminar der Wiener Universität unter der Leitung des Herrn Prof. Dr. EUGEN BORMANN vorgenommen; das Ergebniss derselben ist im Anhange von Herrn Dr. CARL PATSCH mitgetheilt.

Andere Funde, Reste römischer Niederlassungen u. dgl. wurden nur dann erwähnt, wenn dieselben mit dem Zuge der Römerstrassen in Zusammenhang gebracht

— 5 —

werden durften. Die beigegebene Karte erhebt daher in dieser Hinsicht keinen Anspruch auf Vollständigkeit.

Seit der Gründung des bosn.-herceg. Landesmuseums in Sarajevo hat die archäologische Durchforschung des Landes einen solchen Aufschwung genommen, dass die Gesammtheit römischer Funde aus diesem Gebiete im Rahmen der von mir übernommenen Aufgabe nicht dargestellt werden konnte.

Es wird aus dem Mitgetheilten hervorgehen, dass ich meine Mission vorwiegend als Ingenieur auffasste, die Principien zu ergründen suchte, welche die Römer bei der Anlage ihrer Strassen leiteten, und darnach meine Untersuchungen anstellte. Ich habe die beschriebenen Routen mit wenigen Ausnahmen selbst bereist und jene Angaben, die ich ohne persönliche Besichtigung nach Mittheilungen Anderer anführte, erst nach sorgfältiger Prüfung aufgenommen.

Die gegenwärtige Arbeit will nach keiner Richtung hin eine abschliessende sein. Vorläufig waren es ja fast ausschliesslich die westlichen Theile Bosniens und der Hercegovina, die ich durchforschte. Im Laufe der Jahre wird, obwohl die Bedingungen für die Erhaltung der Ueberreste römischer Strassen im mittleren und östlichen Theile Bosniens wegen der grösseren Ausdehnung des urbaren Bodens viel ungünstiger sind, hoffentlich das Netz der wiederentdeckten Communicationen noch erweitert werden können.

Construction der römischen Strassen.

Bevor ich zur Einzelbeschreibung der Strassenzüge übergehe, erscheint es zweckmässig, dem Leser jene Principien vor Augen zu führen, die bei der Anlage und dem Baue der Römerstrassen in Bosnien-Hercegovina massgebend waren.

Den Römern standen weder Terrainkarten, noch hypsometrische Instrumente zur Verfügung. Dennoch haben sie überall, wo ich ihre Strassen auffand, sowohl die günstigsten Gebirgsübergänge, als auch nach Thunlichkeit die kürzeste Linie zu ermitteln verstanden.

Die beiden antiken Uebergänge über die dinarischen Alpen bei Stožište und auf dem Prolog werden auch von den heutigen Strassen benützt. An dem dritten, in der Einsattlung von Aržano gelegenen Uebergangspunkt wird einst die projectierte Bahn aus Bosnien nach Spalato die Alpenkette überschreiten. Auf dem Sattel der Crljevica fällt die Trace der gegenwärtig projectirten Strasse mit jener der Römerstrasse zusammen; der antike Uebergangspunkt über die Borova glava nächst Livno ist sogar günstiger gewählt als jener des gegenwärtig bestehenden Strassenzuges.

Wo es ohne allzu grosse Umwege möglich war und das Terrain es erlaubte, erhielten die Strassen ein gleichmässiges Gefälle. Das beweisen z. B. der Aufstieg aus dem Tihaljinathale zum Sattel oberhalb der Tihaljinaquelle, die Strecke vom Sattel bei Stržanj gegen Šuica, von Blagaj gegen Vaganj und jene gegen Lovreč nächst Trilj in Dalmatien. Bei der letztgenannten Communication ist die römische Trace so augenscheinlich günstiger gewählt als jene der bestehenden Strasse, dass mein dalmatischer Begleiter mich speciell hierauf aufmerksam machte.

Ich muss es bei diesen Beispielen bewenden lassen. Es würde zu weit führen, alle Parallelen zu citiren, die sich mir bei Auffindung der Römerstrassen ergaben, und die mich mit Bewunderung der genialen Traceführung dieser Strassen erfüllten.

Die Steigungsverhältnisse überschreiten allerdings jene Normen, welche gegenwärtig für Fahrstrassen nöthig erachtet werden. Selbst in solchen Fällen, wo der Strasse eine Art künstlicher Entwicklung gegeben wurde, betrug die Steigung derselben 10%, aber auch die Anwendung grösserer Steigungen bis zu 15 und 20%, wurde nicht gescheut. Wir werden später sehen, dass aus diesem Detail sich ganz bestimmte Schlüsse auf die Beförderungsart der Transportmittel, welche von den Römern benützt wurden, sowie auf den Zweck der Strassen überhaupt, ziehen lassen.

Die Construction des Strassenkörpers und der Fahrbahn war je nach der Art des Terrains, durch welche die Strasse führte, verschieden. Im Allgemeinen schmiegten sich die Strassen dem Terrain an und wurden grössere Aufdämmungen und Einschnitte vermieden. An steilen Lehnen erhielten die Strassen gegen die Hangseite zu Mauern; Ueberreste von solchen lassen sich im Aufstiege aus dem Tihaljinathale zur Sattelhöhe, am Uebergang über den Prevalasattel und an anderen Orten noch erkennen.

Von Brücken konnte ich keine verlässliche Spur auffinden und muss mich daher auf die Angabe beschränken, dass die Stellen, wo die Flüsse durch Brücken übersetzt wurden, dem Volke zum Theile noch bekannt sind, wahrscheinlich in Folge einer Tradition aus jener Zeit, da noch Reste jener Bauten vorhanden waren.

Ueber die Construction der eigentlichen Fahrbahn erhalten wir Aufschluss durch eine Reihe einzelner Beobachtungen.

In jenem Terrain, wo es mir gelang, die überwiegende Mehrzahl der Strassen aufzufinden, im Karste, ist wegen des felsigen Bodens eine künstliche Festigung der Strassenbahn nicht nöthig. Hier handelt es sich nur um die Ausgleichung des zerklüfteten Bodens. Wo die hervorragenden Partien des Gesteines mit Brechwerkzeugen beseitigt werden konnten, geschah dies. Die kleineren Unebenheiten wurden durch eine Lage mehr oder weniger groben Steingerölles ausgeglichen und dieser schotterartige Körper der Fahrbahn zuweilen mit Randsteinen eingefasst. Ein Theil der Römerstrasse von Narona nach Salona (in der Nähe des Dorfes Zvirići) ist auf diese Weise hergestellt (Figur 1).

Die Breite der durch den Schotterkörper gebildeten Fahrbahn beträgt bei der vorgenannten Strasse 5 M. Gleiche Breite und Construction (mit Ausnahme der Randsteine) zeigt im Glamočkopolje ein Theil der von Halapić über die Crnagora führenden Römerstrasse.

Die aus den folgenden Abbildungen ersichtliche ausserordentliche Zerklüftung an der Oberfläche des Karstkalkes erschwerte jedoch nur zu oft die Schaffung einer regelrechten Fahrbahn. Sprengmittel, mit welchen die Beseitigung der hervortretenden festen Felsrippen leicht gewesen wäre, waren den Römern unbekannt. Nun beobachtet man sehr oft an solchen Felsstücken tief eingeschnittene Spurrillen, entweder für ein Rad allein, oder für beide. Ich möchte die Vermuthung äussern, dass man solche Rillen häufig künstlich vor der Benützung der Strassenbahn herstellte und den übrigen Theil der Felsrippe stehen liess. Figur 2. welche meiner schon erwähnten Publication im „Glasnik" (Jahrgang 1891, S. 398, Figur 1) entnommen ist, veranschaulicht in schematischer Weise diese Herstellungsart. Die in den Figuren 3, 4, 5 wiedergegebenen photographischen Aufnahmen derartiger Spurrillen stellen dieselben nach der Natur dar und zeigen einige Fälle von besonders deutlichem Vorkommen. Oftmals sind es nur ganz unscheinbare Einkerbungen im Stein, woran nichts auffällig ist als ihre scharf ausgeprägten Contouren, welche aber trotz ihrer Geringfügigkeit dem scharfen Auge der einheimischen Bevölkerung nicht entgangen sind.

Kommen die Spurrillen beiderseitig, d. h. für beide Räder ausgearbeitet, vor, so beträgt ihre Distanz von Mitte zu Mitte der Rille 1·20 bis 1·25 M. Die Breite der einzelnen Spurrillen variirt in Folge ihrer verschiedenen Abnützung durch den Wagenverkehr. An einigen Rillen, deren Contouren schärfer erhalten waren, konnte ich die Minimalbreite mit 10—12 Cm. bestimmen, etwas geringer als dieses Mass muss sonach die Felgenbreite der Wagen gewesen sein.

Die zwischen den Felsrippen befindlichen Zwischenräume waren mit losem Material, so gut es ging, ausgefüllt, beziehungsweise geebnet; allerdings ist von diesem Füllmaterial, welches längst verwachsen oder vom Wasser weggespült ist, wenig mehr zu sehen.

Unmittelbar auf das vorerwähnte, noch erhaltene Stück Fahrbahn der Römerstrasse bei Zvirići folgt eine vorstehende feste Felsrippe, welche auf einer Seite von einer Spurrille durchquert ist. Diese Erscheinung an der überdies noch durch Meilensteinreste markirten Römerstrasse liefert den vollen Beweis für die Zeitstellung und Bedeutung jener Radspuren.

Bei vielen Strassen im Karst ergab die Messung der ganzen Strassenbahn nur eine Breite von 1·5 M. Es bedarf an zahlreichen Stellen immerhin einiger Uebung, um diese alten Wege zu erkennen, sie markiren sich aber doch deutlich genug, dass selbst meine bosnischen Begleiter dieselben bemerkten und darnach die Spurrillen suchten. Die Figuren 6 und 7 zeigen photographisch aufgenommene Bilder solcher Strassenstrecken, von welchen die erstere bei Lipa, die letztere bei Šuica gelegen ist.

Es entsteht die Frage, ob die angeführte Breite von 1·5 M. auch bei wichtigeren und stärker frequentirten Strassen, wie beispielsweise bei jener von Narona nach Salona, zur Anwendung kam, oder ob die als Hauptstrassen dienenden Verkehrslinien auch im Karstgestein eine grössere Breite erhielten.

Meine Bemühungen, diese Frage zu entscheiden, waren nur zum Theile von Erfolg. Aus der in Figur 8 dargestellten, dem erwähnten Strassenzuge angehörigen Spurrille liesse sich der Schluss ziehen, dass auch bei dieser Hauptlinie die bedeutenden Felshindernisse nur so weit ausgeglichen wurden, als nöthig war.

den Verkehr eines einzigen Wagens zu ermöglichen, dass daher auch die stärker frequentirten Strassen nicht die Breite von 5 M., sondern nur jene von 1·5 M. erhielten.

Leichtes, erdiges oder versumpftes Terrain war jedenfalls durch Herstellung einer Pflasterung für den Wagenverkehr passirbar gemacht. Zu diesen Pflasterungen wurden meistens 20—30 Cm. starke, möglichst grosse Steine genommen, die Randsteine etwas zugehauen und im Uebrigen das Pflaster so dicht als möglich gefügt. Die Reste solcher Pflasterungen finden sich, meist zerstört, im westlichen Theile Bosniens und der Hercegovina.

Mit Rücksicht darauf, dass auch in späteren Zeiten derartige Pflasterungen, hierlands „Kaldrma" genannt, ausgeführt wurden, und sich die Verkehrslinien der späteren Zeiten häufig mit jenen der Römer decken, ist jedoch die Zeitstellung von Pflasterwegen stets mit grosser Vorsicht zu beurtheilen, wenn auch die in späterer Zeit entstandenen „Kaldrmas" ersichtlich aus kleineren Steinen zusammengefügt waren als das römische Strassenpflaster. Ich möchte daher auch über jene Pflasterwege, welche aus anderen Gründen römischen Ursprunges zu sein scheinen, mit meinem Urtheile vorläufig zurückhalten. Die Breite solcher „Kaldrmas" fand ich zwischen 2·0—4·0 M. schwankend, meist jedoch der geringeren Dimension angenähert.

Nach den bisherigen Wahrnehmungen scheinen die Pflasterstrassen im Karstgebiet und jene im östlichen Bosnien verschieden angelegt zu sein. Bei den ersteren bildete wahrscheinlich das Pflaster schon die Fahrbahn, bei den letzteren dürften die Unebenheiten des übrigens auch nicht so dicht gefügten Pflasters, wie bei unseren modernen Strassen, noch durch Schotter ausgeglichen worden sein. Aus Figur 9 kann die Construction des noch ganz erhaltenen Strassenpflasters einer Theilstrecke auf der Romanja planina ersehen werden.

Es ist schwer zu bestimmen, ob alle im Folgenden besprochenen Römerstrassen zur Markirung der Weglänge mit Meilensteinen versehen waren oder nicht.

Meilensteine wurden aufgefunden bei den Strassen von Grab über Petrovac ins Sanathal, vom Prolog über die Crnagora gegen Banjaluka, von Narona nach Salona, von Narona ins Sarajevsko polje, von Narona ins Nevesinjske polje, vom Sarajevsko polje über die Romanja planina ins Drinathal und endlich ein Meilenstein bei Travnik.[1])

Diese Strassen sind, mit Rücksicht auf ihre Ausgangs- und Endpunkte, sämmtlich als Hauptlinien zu bezeichnen. Bei den übrigen Strassen konnte das Vorkommen von Meilensteinen bisher nicht constatirt werden. Bei vier der genannten Strassen war es möglich, die Standorte der Meilensteine, wie sie theils noch in situ vorhanden, theils erst kürzlich entfernt worden waren, in die Generalstabskarte

[1]) Siehe das Verzeichniss am Schlusse dieser Abhandlung.

(Massstab 1 : 75.000) einzutragen, und es konnte die Entfernung derselben untereinander als eine der römischen Meile entsprechende Distanz von rund 1500 M. erkannt werden.

Die Figuren 10. 11. 12 zeigen die Form dieser Steine. Der in die Erde versenkte Untersatz war viereckig, der obere, sichtbare Theil entweder vollkommen cylinderförmig oder asymmetrisch gerundet.

Die Dimensionen der Steine stimmen bei den einzelnen Strassenzügen nicht genau überein. Bei jenen der Strasse von Salona nach Narona und von Grab über Petrovac ins Sanathal beträgt der Durchmesser des oberen, sichtbaren Theiles 40—45 Cm. Nur an der letztgenannten Strasse, wo Steine noch in situ stehen, konnte auch die Länge derselben genau gemessen und bei der Mehrzahl mit 1·55 M. bestimmt werden. An der Route Salona—Gradisca hat der einzige vollkommen erhaltene Stein Nr. 23 den Durchmesser von 40 Cm., und, ausschliesslich des in die Erde versenkten Theiles, die Höhe von 1·4 M. Die Durchmesser der übrigen Steine dieser Route variiren zwischen 35 und 40 Cm.

Wie der Anhang zeigen wird, konnten bei vielen Meilensteinen noch Reste der Inschriften entziffert werden. Bis auf die Meilensteine der Strasse von der Romanja planina ins Drinathal und jene der Strasse von Narona ins Nevesinjsko polje waren dieselben mit den Milienzahlen bezeichnet. Aus diesen Zahlen ergibt sich, dass die Vermessung der Strassen nicht durchwegs von Salona, beziehungsweise Narona ausging, sondern auch Abzweigungspunkte als Anfang der Vermessung angenommen wurden. Die Meilenzahlen der Strasse von Salona, genauer gesagt von Trilj, nach Narona, und jener von Grab über Petrovac ins Sanathal bestätigen diese Annahme.

Wie diese Schilderung lehrt, lässt die Bauart der Römerstrassen gegenüber derjenigen unserer heutigen Strassen im Karstterrain erhebliche Unterschiede erkennen.

Zweifellos haben auch auf den erstgenannten Strassen Wagen verkehrt. Diese werden aber kaum andere als zweiräderige Karren gewesen sein.

Bei der geringen Spurweite der Strassen können wohl nicht zwei Zugthiere nebeneinander Platz gefunden haben; dieselben waren vielleicht hintereinander vorgespannt. Ich kann mich jedoch des Gedankens nicht entschlagen, dass möglicherweise auch die Kraft des Menschen zur Fortbewegung der Fuhrwerke in Verwendung kam.

Es ist bekannt, dass mit dem Zunehmen der Strassensteigung die Ladungsfähigkeit der Wagen sich schnell vermindert, dass bei einer Steigung von 10 bis 20% ein Frachtenverkehr schon auf glatter Fahrbahn nur mit grossem Kraftaufwand möglich ist; um wie viel mehr erst auf solchen, nur durch die Spurrillen nothdürftig geebneten Wegen! Diese Schwierigkeit in der Fortbewegung der Strassenfuhrwerke schliesst von vorneherein aus, dass sich der gewöhnliche Frachtenverkehr im Karstlande der Fuhrwerke bediente.

Das Saumthier, wohl auch der Mensch als Träger, dürfte daher in jener Zeit und auf jenem Gebiete der Vermittler des gewöhnlichen Waarentransportes gewesen sein.

Der Wagentransport dürfte sich auf jene Gegenstände beschränkt haben, die vermöge ihres Gewichtes und Volumens nur mit Fuhrwerken fortbewegt werden konnten. Wir möchten hier in erster Linie an das Kriegsmateriale denken, welches aus den Küstenstädten seinen Weg quer durch Bosnien an die Länder der unteren Donau nahm, um dort, sowie in Bosnien und der Hercegovina selbst, der Befestigung und Erhaltung der römischen Herrschaft zu dienen.

Für diese Annahme sprechen auch die zahlreichen Befestigungen römischen Ursprungs, welche nicht allein den Verkehr auf den Strassen, sondern auch die Niederlassungen auf den fruchtbaren Hochplateaux zu schützen bestimmt waren.

Grundfesten solcher Fortificationen sind hierlands noch in grosser Zahl vorhanden und im Volke unter den Namen „Gradina" oder „Gradac" (Burgstelle, „Burgstall") bekannt. Wenn auch nicht gesagt werden soll, dass Alles, was diesen Namen trägt, römischen Ursprunges sei, so glaube ich doch, dass eine grosse Zahl solcher Anlagen aus der Zeit der römischen Herrschaft stammt.

Ich konnte diese Befestigungen nicht zum Gegenstande meines Studiums machen, da die verfügbare Zeit hiezu nicht ausgereicht hätte. Das consequente Vorkommen solcher Werke an allen strategisch wichtigen Punkten der aufgefundenen Strassen, wie an Fluss- oder Passübergängen, an Strassenabzweigungen oder auf dominirenden Höhen, dann die fast immer wiederkehrende Thatsache, dass im Kerne dieser schanzenartig hergestellten Befestigungen mehr oder weniger mächtige Mörtelmauern aus Stein oder Ziegeln sich vorfinden, begründen meine obige Annahme, wobei jedoch nicht unerwähnt bleiben darf, dass die Römer bei dem Bau ihrer Strassen vielfach dem Zuge älterer Verkehrswege gefolgt sind und jene „Gradine" zum Theile auch schon in vorrömischer Zeit die gleiche strassenschützende Rolle gespielt haben können. Schliesslich sei bemerkt, dass die in der Generalstabskarte verzeichneten zahlreichen Gradine die Zahl der thatsächlich vorhandenen bei Weitem nicht erreichen, indem dort nur jene aufgenommen sind, welche auf topographisch wichtigen Punkten liegen, während viele andere, ja die überwiegende Mehrzahl, unberücksichtigt blieben.

Nachgewiesene Römerstrassen.

1. Strasse von Rastello di Grab über Risanovci—Unacthal—Petrovac ins Sanathal.

Ueber die genaue Führung dieser Strasse von Risanovci bis ins Sanathal habe ich zwar bereits im „Glasnik" a. a. O. berichtet, es seien jedoch der Vollständigkeit halber die wichtigsten Einzelnheiten meiner Beschreibung hier nochmals angeführt, umsomehr als in Folge späterer Funde die anfängliche Unbestimmtheit über den Einbruch dieser Strasse nach Bosnien behoben ist und nunmehr auch der Inschrifttext von sechs Meilensteinen geboten werden kann.

Allerdings hat EVANS[1]) in seiner Publication über die Alterthümer Illyricums dieser Strasse Erwähnung gethan, jedoch persönlich nur die Strecke vom Tiskovacthal über Risanovci bis Dolnji Unac bereist, die Fortsetzung der Strasse vom Unacthal ins Innere Bosniens aber nur nach Erkundigungen bei Landeseinwohnern allgemein beschrieben.

Auf Grund einer Volkssage, nach welcher König Bela von Ungarn auf seiner Flucht vor den Tataren eine Strasse nach Dalmatien gebaut und mit Meilensteinen bezeichnet habe (!), vermuthet EVANS in den letzteren Steinen römische Meilenzeiger. Er selbst sah keinen derselben. Die einzigen von ihm als Kennzeichen dieser Strasse beschriebenen Denkmäler sind ein im Friedhof von Risanovci stehender viereckiger, circa 8 Fuss hoher Pfeiler, von welchem die Sage geht, dass er von „des Königs Weg" hieher transportirt worden sei, dann Ueberbleibsel römischer Bauten im Unacthale.

Wie aber aus der folgenden Darstellung hervorgehen wird, ist diese Römerstrasse auf eine Länge von circa 70 Km. durch 17 Meilensteine markirt und so genau zu verfolgen, dass ich die Trace derselben in die Detail-Generalstabskarte 1 : 75.000 einzutragen vermochte. Es dürfte dies wohl eine seltene Erscheinung in der Erforschung des römischen Strassennetzes sein.

EVANS, Antiquarian Researches in Illyricum, Westminster 1883, S. 57 ff.

Das Vorkommen von Spurrillen im Thalkessel des Mračajbaches an einer circa 1 Km. von Rastello di Grab entfernten Stelle am rechten Bachufer, ferner in der Nähe der Häusergruppe Živković und endlich nächst der Sattelhöhe am Wege nach Begovac bunar weist mit voller Bestimmtheit darauf hin, dass diese Strasse bei Rastello di Grab nach Bosnien eintrat. Bei Begovac bunar lassen Fundamente von Gebäuden und Ziegelstücke römischen Ursprungs den einstigen Bestand einer antiken Ansiedlung erkennen.

Auf dem Friedhofe von Risanovci findet sich ein von seinem ursprünglichen Standorte entfernter Meilenstein Nr. 18 mit der Zahl XXXVI. Das nächste Kennzeichen der Fortsetzung dieser Strasse bilden die auf der Kamenica am Wege von Risanovci ins Unacthal nahe der Grenze der Bezirke Livno und Petrovac vorkommenden Spurrillen.

Im Thale von Dohnji Unac beim Han Bulat steht der zweite römische Meilenzeiger (Nr. 2) mit der Zahl XXXXIII.

1·5 Km. von diesem Stein befindet sich am linken Unacufer ein dritter (Nr. 3), jedoch ohne Inschrift. In der Nähe dieses Steines muss der Uebergang über den an dieser Stelle circa 30 M. breiten Unacfluss stattgefunden haben. Spuren einer Brücke sind jedoch nicht aufgefunden worden.

Das rechte Ufer des Unacthales wird von einer steilen, unter circa 40° abfallenden Felslehne gebildet. Hier musste sich der Weg auf ein 250 M. über dem Unacthal gelegenes Plateau hinaufziehen. Den Bemühungen des Expositursleiters Topić von Dohnji Unac gelang es, die Trace dieses Aufstieges zu ermitteln. Die erste Andeutung über die Führung derselben gab eine unter dem Rande des vorgenannten Meilenzeigers (3) eingemeisselte Furche, welche gleichsam auf die Richtung des Weges hinwies. Der Fund einer römischen Münze, einiger alten Gräber und endlich der noch in der Erde steckende Theil eines weiteren römischen Meilenzeigers (4) gaben die Richtung der Strasse für diesen Aufstieg an. Die Entfernung des mit 3 bezeichneten Meilenzeigers von Nr. 4 beträgt nach der angegebenen Trace 1·5 Km. In einer Entfernung von weiteren 1½ Km., unmittelbar neben dem gegenwärtig benützten Reitweg von Dohnji Unac nach Petrovac, findet sich wieder ein Meilenzeiger (Nr. 5) mit der Zahl XXXXVI. Circa 250 Schritte von diesem Meilensteine gegen Dohnji Unac zurück treffen wir auf eine Strecke von circa 50 M. des gegenwärtig bestehenden Weges Spurrillen in den Felsrippen. Nun folgen in einer Entfernung von je 3 Km. drei römische Meilenzeiger ohne erkennbare Inschriften nacheinander, von denen der erste (Nr. 6) vor dem Han Crljevica rechts vom Reitwege und die beiden anderen (7 und 8) ebenfalls rechts vom Reitwege, zwischen diesem Han und der Sattelhöhe stehen.

Circa 10 Km. lang verfolgt der jetzige Reitweg genau die Trace der alten, durch die angeführten Meilensteine markirten Römerstrasse, und wenn die von den

Ingenieuren tracirte neue Kunststrasse zum Ausbau gelangt, wird auch diese sich fast gänzlich mit der alten Römerstrasse decken. Wir ersehen daraus, wie sehr es die Römer verstanden, für ihre Strassen die technisch richtigsten Linien auszuwählen.

Der nächste Meilenstein mit Zahl LVI, welcher jetzt beim Konak in Petrovac aufgestellt ist, stand früher an dem in der Karte mit 9 bezeichneten Punkte und war 15 Km. vom Steine XXXXVI entfernt.

Wie schon gesagt wurde, betrug die Distanz zwischen den bis nun aufgefundenen Steinen das Ein- oder Vielfache einer römischen Meile, und dies trifft auch bei den Meilenzahlen XXXXIII, XXXXVI und LVI zu, aus welchen ersichtlich ist, dass die Nummerirung der Meilenzeiger auf dieser Strecke der Anzahl der zurückgelegten römischen einfachen Meilen entspricht.

Die nächsten römischen Meilenzeiger finden sich in der Nähe der heutigen Strasse von Petrovac gegen Ključ und sind in der Karte unter Nr. 10, 11, 12, 13, 14, 16 und 17 eingetragen. Die Entfernung dieser Steine von einander beträgt: von 10 bis 11 6 Km., von 11 bis 16 circa 6 Km. und von 16 bis 17 circa 4 Km., von 17 bis 12 3 Km. Die Steine 10 und 11 haben keine Inschriften.

Der Stein Nr. 17 ist zerbrochen, der Rumpf desselben befindet sich noch in situ, während der obere Theil desselben circa 550 Schritte gegen Petrovac in einem Karstloch aufgefunden wurde. Der Durchmesser dieses Steines beträgt 45 Cm., die Höhe circa 1·3 M. Ausser dem Buchstaben H sind keine Reste einer Inschrift bemerkbar. Am abgerundeten Kopf des Steines ist ein rundes, 5 Cm. breites Loch 10 Cm. tief eingemeisselt.

Der nächst der Gendarmeriekaserne Bravsko stehende Stein 12 ist abgebrochen, der obere Theil desselben liegt circa 100 M. entfernt von dem noch in der Erde steckenden Theile und trägt die Zahl LXVII. Beim nächsten Stein, 13, sind von der Meilenzahl nur die Ziffern LXVI genauer lesbar, eine folgende Ziffer ist undeutlich. Dieser Stein steht 1·5 Km. von Nr. 12 entfernt.

Von den folgenden zwei Steinen befindet sich Nr. 14 in der Direction gegen Ključ, circa 1 Km. vom Han Glišo entfernt. Die Inschrift endet mit der Meilenzahl LXIX. Die Entfernung dieses Steines von Nr. 13 beträgt 3 Km., die von Nr. 12 4·5 Km. 3 römische Meilen, welche Distanz mit den Meilenangaben beider Steine LXVII und LXIX nicht übereinstimmt.

Der 15. Meilenstein endlich findet sich in der Direction gegen Sanskimost im Abstiege von Han Bravsko ins Sanathal. Er liegt wieder 3 Km. von Nr. 13 an dem in der Detailkarte mit Prisjeka Smailbeg bezeichneten Orte. Sein Durchmesser beträgt 40 Cm., die Höhe ebensoviel. Auf dem Steine finden sich Spuren einer nicht mehr lesbaren römischen Zahl.

Durch den Fund dieser Meilensteine ist die Richtung der Römerstrasse von Risanovci über Petrovac ins Sanathal unzweifelhaft sichergestellt.

Aus diesen Steinen und den Meilenzahlen derselben lässt sich weiter mit grosser Wahrscheinlichkeit schliessen, dass die angeführte Route nicht einen für sich bestehenden Strassenzug darstellte, sondern sich aus einzelnen Theilen anderer Strassenzüge zusammensetzte.

In meinem bereits citirten „Glasnik“-Aufsatze gab ich der Vermuthung Ausdruck, dass der Ausgangspunkt der Stationirung von Risanovci bis Petrovac bei Provo im Livanjsko polje, und zwar bei der Abzweigung unserer Strasse von jener, welche über den Prolog in das Innere Bosniens führte, gewesen sei. Ich hatte wohl damals schon eine Ahnung von der dichten Verzweigung des römischen Strassennetzes, wusste aber noch nicht, dass die Römer die dinarische Alpenkette an mehreren Punkten mit Strassen übersetzten und in dem Bestreben, ihren Communicationen die kürzeste Richtung zu geben, vor keiner Schwierigkeit zurückschreckten. Es sprechen nun allerdings Anzeichen dafür, dass auch längs dem westlichen Rande des Livanjsko polje eine Strasse hinzog, allein thatsächliche Reste derselben vermochte ich bis auf mehrere nächst Rujani in der Richtung gegen Grahovo zu gelegene Radspuren nicht zu finden. Meine ursprüngliche Annahme, dass bei Provo die Abzweigung stattfand, kann ich nicht mehr aufrecht erhalten, denn, wie ich bei der Schilderung der vom Prolog nach Banjaluka führenden Strasse aus den Meilenangaben der Inschriftsteine nachweisen werde, kann die letzterwähnte Strasse Provo nicht berührt haben.

Der Ausgangspunkt der Stationirung der ins Sanathal führenden Strasse dürfte sich aus nachfolgenden Erwägungen ergeben.

Von Rastello di Grab zieht ein schönes, breites Thal abwärts nach Knin. Hier trennen sich die Wege. Einer derselben führt gegen Sign, beziehungsweise Čitluk, dem römischen Aequum. Die Entfernung von Risanovci über Knin nach Aequum beträgt circa 58 römische Meilen. Da bei Risanovci die XXXVI. römische Meile steht, kann der vorgenannte Ort nicht der gesuchte Ausgangspunkt gewesen sein. Die obigen XXXVI römischen Meilen führen aber ganz nahe zu der römischen Colonie Burnum, welche bereits auf der Karte des C. I. L. als wichtiger Strassenkreuzungspunkt erscheint. Es dürfte nunmehr kaum ein Fehlschluss sein, wenn wir hier die Abzweigung der Strasse ins Sanathal ihren Ausgang nehmen lassen.

Wenden wir uns nun nordwärts zum Meilenstein mit der Ziffer LVI bei Petrovac.

Die Zahl LVI kann hinsichtlich der Entfernung mit der gut lesbaren Zahl LXVII auf dem Steine Nr. 12 nicht in Einklang gebracht werden. Die Differenz der beiden Zahlen beträgt 11 römische Meilen, annähernd gleich 16·5 Km., die Entfernung zwischen den beiden Steinen aber 21 Km. Diese Discordanz ist nicht anders zu erklären, als dass die Vermessung der von Petrovac nach Bravsko führenden Römerstrasse nicht an dem vorerwähnten Abzweigungspunkte bei Burnum, sondern an einem anderen Ausgangspunkte begann. Das Intervall Petrovac—Bravsko wäre demnach nicht als Fortsetzung der Strasse Burnum—Petrovac anzusehen, sondern als Theil eines anderen Strassenzuges, der wahrscheinlich aus dem Bihaćer Felde auf das Plateau von Petrovac führte und sich dann weiter gegen Ključ hinzog. Für diese Annahme sprechen auch noch die in den Sitzungsberichten der kaiserl. Akademie der Wissenschaften (phil.-hist. Cl.), 1881, Heft II, S. 773 ff., von TOMASCHEK publicirten Funde von drei Denkmälern mit figuralen Darstellungen und elf Inschriftsteinen bei Golubić, welche an der Stelle dieses im fruchtbaren Bihaćer Felde gelegenen Ortes eine nicht unbedeutende römische Ansiedlung vermuthen lassen.

Endlich muss aus der Stellung der Meilensteine 14 und 15 auf eine Gabelung der Strasse in der Nähe des Meilensteines Nr. 13 geschlossen werden, da der eine Stein die ausgesprochene Tendenz der Führung der Strasse gegen Ključ, der andere eine ebensolche Tendenz der Führung ins Sanathal und dann weiter gegen Sanskimost erkennen lässt.

Die Fortsetzung in den beiden oben angegebenen Richtungen wird auch durch die von Berghauptmann RADIMSKÝ[1]) angezeigten römischen Funde verbürgt.

RADIMSKÝ fand in der Burgruine Ključ römische Ziegel, welche auf ein dort erbautes Wachthaus schliessen lassen, und nahe beim Han Glišo ein römisches Grab.

Ganz besonders scheint aber nach den Funden des Genannten das untere Sanathal von den Römern besiedelt und der Sitz einer Eisenindustrie gewesen zu sein.

Im Hinblick auf unsere Strasse kommt zunächst die Auffindung römischer Befestigungen bei Sastavci, Alisici und Zecovi, dann der Nachweis römischer Ansiedlungen gegenüber der Befestigung von Sastavci und bei Km. 3·5 an der Strasse Prijedor—Sanskimost in Betracht. Oštraluka und Briševo sind Fundstätten römischer Grabsteine.

Bei Šehovci am rechten Sanaufer entdeckte RADIMSKÝ die Reste einer römischen Eisenhütte, ebendaselbst, dann bei Derviši und Cele im Japrathale die Reste römischer Wohnstätten. Für die Einzelheiten dieser Funde müssen wir auf die bevorstehende Publication des genannten Autors verweisen.

Nach einer von Dr. Ć. TRUHELKA im „Glasnik“, Jahrgang 1890, S. 96, gemachten Mittheilung wurden bei Novi in der Nähe des Dorfes Adrapovac ein Inschriftstein, ein Sarkophag und andere römische Alterthümer entdeckt, sowie die Grundmauern von sieben Gebäuden blossgelegt, welche auf den Bestand einer römischen Ansiedlung hinweisen.

[1] Glasnik, Jahrgang 1891, S. 151 ff.

2. Strasse: Prolog—Halapić—Glavice—Crnagora—Pećka—Banjaluka.

In der Peutinger'schen Tafel finden wir eine Strasse verzeichnet, welche von Salona ausging, das nordwestliche Bosnien durchzog und bei Servitium in die grosse Heerstrasse längs der Save einmündete.

BLAU und HOERNES nehmen an, dass dieselbe über den Prolog, Glavice, die Crnagora, das Hochplateau von Podražnica nach Banjaluka und weiter an die Save führte. BLAU hat einen Theil dieser Route von Banjaluka bis Podražnica bereist und gibt seine Wahrnehmungen in den Monatsberichten der Berliner Akademie der Wissenschaften, 1867, S. 742 ff., mit nachstehenden Worten:

„Weiter aufwärts (von Banjaluka) gestattet das enge, von schroffen Berghängen eingeschlossene Vrbasthal keinen Fahrweg, die heutigen Verkehrsstrassen vermeiden es, und die westliche, nach Dalmatien führende, zieht sich über die auf der Höhe nirgends merklich eingesenkten Plateaux zwischen Vrbas und Sanna, zunächst mit zwei Meilen steil hinan nach Pavić, wo neben der weithin einzigen frischen Quelle ein Thurm durch seinen Quaderbau auf höheres Alter als das der meisten bosnischen Burgen hinweist. Der Distanz nach würde hieher die Station Castra (13 mp. von ad fines Tab. Peut.) fallen, ebenso Lamatis der Tafel (12 mp. von Castra) oder Aemate des It. Ant. (18 mp. von ad Ladios) auf das gleichfalls antike Reste aufweisende Südende der Hochebene Dobrinje; westlich vom Wege finden sich hier ausgemauerte, mit grossen halbrunden Felsplatten bedeckte Brunnen (dies bedeutet der Name ‚Bunarovi‘ in Roskiewicz' Karte), östlich davon schriftlose, aber durch ihre kolossalen Verhältnisse von dem nebenliegenden altchristlichen Friedhofe abstechende Grabsteine; ähnliche aus einem der hiesigen Gegend fremden, marmorähnlichen Steine sollen sich bei dem seitwärts des Weges bleibenden benachbarten Dorfe Ratkova finden.

„Von dieser Station führten 10 (T. P) oder 13 (I. A.) mp. nach Leusaba, dessen Lage in Ermanglung antiker Reste vorläufig nur im Allgemeinen in der Hochebene Podražnica angegeben werden kann, von wo ich genöthigt war, den südöstlich nach Jajce im oberen Vrbasthale hinabführenden Weg einzuschlagen und somit die Linie der antiken Strasse zu verlassen, die aber nach den in Gjölhissar eingezogenen Nachrichten gerade von hier an als kunstvolles Quaderpflaster (daher türkisch ‚Kalderym-jol‘, Pflasterweg, auch ‚Topjolu‘, Kanonenweg genannt) südwärts über Pećka (etwa Sarnade des I. A. 18 mp. von Leusaba) und durch die Crnagora nach Glavice (Silviae 24 mp. weiter: zu verfolgen sein soll.“

Ein Stück solcher Kaldrma sah BLAU zwischen Ratkovo und Sitnica.[1]

---

[1] Reisen in Bosnien, S. 140.

Hinsichtlich des Ueberganges über den Prolog berichtet der genannte Autor, dass bei der Anlage der neuen (türkischen) Chaussée unter Leitung des Ingenieurs MOIZA die in den Felsen eingeschnittene alte Strasse aufgefunden worden sei, daneben ein behauener Block mit der Inschrift:

FLAVIVS

MAXIMVS

FECIT

HOERNES,[1] welcher die Führung der Römerstrasse nach den obigen Angaben BLAU's acceptirt, vermuthet deren Fortsetzung von Glavice über Priluka-Livno zum Prolog, welche Strecke er selbst bereiste, ohne aber vorhandener thatsächlicher Spuren der Römerstrasse Erwähnung zu thun.

TOMASCHEK endlich lässt die Strasse der Tabula Peutingeriana vom Hochplateau von Podražnica über Varcar-Vakuf, dann Pliva-aufwärts über Vaganj, Kupreš, Stržanj—Šuica—Vašarovine nach Ljubunčić, von hier weiter, ebenfalls über den Prolog, nach Salona führen, nimmt aber nach dem It. Ant. noch eine zweite Route an, welche vom Prolog über Lištani, die Golja planina, Glavice und die Crnagora ebenfalls auf das Hochplateau von Podražnica führte. Auch in seiner Darstellung sind keine anderen Ueberreste der Römerstrassen erwähnt als jene, welche bereits BLAU angeführt hat.

Die folgenden Bemerkungen dürften nunmehr Einiges zur Lösung der Frage über die Verbindung Salonas mit Servitium beitragen.

BLAU's Mittheilung über eine in den Felsen gehauene Römerstrasse auf dem Prolog bezieht sich auf das häufige Vorkommen von Spurrillen in der Strecke, welche ich in meiner Karte speciell ersichtlich gemacht habe. Ebenfalls beim Bau einer neuen, aber unter der österr.-ungar. Verwaltung hergestellten Strasse über diesen Pass wurde das Bruchstück eines Meilensteines (Nr. 1) aufgefunden, dessen Standort genau ermittelt werden konnte und in die Karte eingetragen ist.

Ob das gleichfalls auf dem Prolog gefundene Bruchstück Nr. 48 von einem Meilensteine herrührt, kann nicht mit Bestimmtheit gesagt werden; auch war der Fundort desselben nicht mehr genau zu eruiren.

Die Inschrift ist nicht mit jener identisch, welche BLAU nach der Angabe MOIZA's publicirte.

Die Meilenzahl XXXIIII des Steines 1 entspricht genau der von Salona über Andetrium, Aequum und den Prolog bis zur Fundstelle gemessenen Weglänge von 34 römischen Meilen.

[1] Sitzungsber. der phil.-hist. Classe der kaiserl. Akademie der Wissenschaften, Bd. XCIX, Heft II, S. 927 ff.

Die nächsten, thatsächlichen Spuren der Strasse liefern uns wieder zwei Meilensteine Nr. 19 und 20, welche in der Staretina planina, 3 Km. von einander entfernt, an ihren ursprünglichen Plätzen stehen. Messen wir vom Steine 1 auf dem Prolog in der auf der Karte angedeuteten Richtung zu dem Steine 19, so ergibt sich eine Distanz von nicht ganz 18 römischen Meilen, was bis auf eine Meile mit der inschriftlichen Angabe LI des Steines Nr. 19 stimmen würde. Die Führung der Strasse über Lištani ist daher kaum zu bezweifeln; ihre Richtung wird noch genauer durch die von Lištani aus quer durch das Livanjsko polje ziehende Kaldrma bezeichnet.

Vom Meilensteine 20 wird mit weiteren 2 römischen Meilen das heutige Dorf Halapić erreicht. Dieses, sowie Glamoč und Glavice, sind die Fundstätten verschiedener römischer Baureste und Inschriftsteine, welche vermuthen lassen, dass einerseits bei Glamoč, andererseits bei Halapić und Glavice römische Niederlassungen bestanden. Von Halapić aus lässt sich der Zug der Strasse bis zu der im Gebiete der Sana gelegenen Localität Pećka mit grosser Deutlichkeit verfolgen. Wir finden bei Halapić in 6 Km. Entfernung vom Stein 20 einen runden und gleich allen auf dieser Route vorhandenen Meilenzeichen aus weichem Sandstein gehauenen Stein Nr. 21 von 38 Cm. Durchmesser, 1·10 M. aus der Erde hervorragend, ohne Inschrift. Der Stein war schon einmal ausgegraben, wahrscheinlich in der Hoffnung, darunter Geld zu finden, wurde aber, nach Angabe der Leute, wieder auf seinen früheren Platz versetzt. Drei römische Meilen entfernt steht der Stein 22, 5 römische Meilen weiter der Meilenstein Nr. 23. Der Stein Nr. 22 hat rechteckigen Querschnitt mit den Dimensionen 36 : 44 Cm. und ragt 1·45 M. über die Erde empor. Obwohl er sonach anders gestaltet ist als die übrigen Meilensteine, lässt sich aus seiner Lage vielleicht doch auf eine Verwendung als Meilenzeiger oder anderweitiges Wegzeichen schliessen. Er liegt nämlich in der geraden Richtung vom Steine 23 gegen Halapić, welche die Römer hier umsomehr eingeschlagen haben müssen, als sich derselben in dem ebenen Glamočer Feld kein Hinderniss entgegenstellte. Diese Erwägung berechtigt auch zur Annahme, dass die zwischen den Steinen 22 und 23 an den Kartenstellen *a* und *b* vorhandenen Reste eines Strassenkörpers römischen Ursprunges sind. Wegen des ebenen Terrains beschränken sich diese Reste auf die Fahrbahn. Diese stellt sich als eine 5 M. breite, über das Terrain etwas hervorragende, ziemlich stark nach beiden Seiten gesattelte Anschüttung von Schotter und kleinen Steinstücken dar und hatte, soweit sich erkennen liess, keinen Grundbau. Wir werden später finden, dass ein Rest der von Narona über Humac und Runović nach Salona führenden Römerstrasse dieselbe Construction zeigt.

Der römische Meilenstein 23 (Figur 10) ist im Durchmesser 40 Cm. stark und ragt 1·4 M. aus der Erde hervor. Auf ihn folgen in je 1½ Km. Entfernung zwei weitere. Nr. 24 (Figur 11) und 25. beide mit dem Durchmesser von 36—38 Cm. und 70—75 Cm. aus der Erde hervorragend. Der erstgenannte wird vom Volke als Apotheke für das erkrankte Vieh benützt, welchem abgeschabte Partikelchen desselben als Arznei eingegeben werden. Neben dem Stein 24 stand in einer Entfernung von circa 5 M. ein zweiter, dessen Ueberreste noch sichtbar sind.

Eine hübsche Sage knüpft sich an diese beiden Steine. Der Besitz eines Mädchens, welches zwei Burschen in gleicher Liebe zugethan war, sollte jenem zufallen, der den weitesten Sprung zu Stande brächte. Die That des Glücklicheren markiren die beiden Steine, und zur weiteren Erinnerung erhielt die Gegend die Bezeichnung „Skakavac".

An den Kartenstellen 26 und 27 standen vor der Reconstruction des von Glamoč über die Staretina führenden Reitweges, d. i. vor circa acht Jahren. je zwei, möglicherweise auch drei Steine aus weichem Sandstein. Dieselben wurden von den Arbeitern ausgegraben und über die Böschung geworfen. Die Steine bei Nr. 26 sind so arg zerschlagen, dass ihre Dimensionen nicht sicher bestimmt werden konnten. Eines der vorhandenen Bruchstücke lässt noch deutlich die Rundung des oberen Theiles und die viereckige Basis des Steines erkennen. Nach Angabe meines Führers soll einer der Steine circa 50 Cm. aus der Erde hervorgeragt haben. Auch einer der an der Stelle 27 gestandenen Steine hat die Form der römischen Meilenzeichen. Der zweite Stein ist nur 80 Cm. lang, hat 40 Cm. Durchmesser und ist möglicherweise abgebrochen. Die Entfernungen der Fundstellen betragen von 25 nach 26 circa 3 Km., von 26 nach 27 circa 2 Km. Die letztere Distanz ist vielleicht einer nicht ganz genauen Einzeichnung der Fundstelle in die Karte zuzuschreiben, da der Wald die Orientirung sehr erschwerte. Wenn erwogen wird, dass die in Rede stehenden Steine nahezu den gleichen Durchmesser mit jenen von Nr. 23. 24 und 25 haben und aus demselben Material gearbeitet sind, so liegt die Vermuthung nahe, dass auch die Steine 26 und 27 als Meilenzeichen dienten.

Es wäre nicht möglich gewesen, die Strasse in der Crnagora weiter zu verfolgen, wenn nicht die Spurrillen als Führer gedient hätten.

Schon auf der bisher beschriebenen Strecke bis Han Pantelija sollen sich Spurrillen vorgefunden haben, die beim Bau des Reitweges zerstört wurden. Weiterhin gelang es mir aber, solche Spurrillen noch an zwei Stellen bei den Serpentinen des heutigen Weges im Aufstieg zum Han Pantelija (an dem in der Karte mit Nabojina bezeichneten Punkte) und nicht weit davon an dem Orte Pilak aufzufinden, womit der Strassenzug bis an das Thal des Krušcvljak potok, beziehungsweise in die Thalsenkung der Sana, verfolgt wurde.

Es möge noch erwähnt werden, dass sowohl in der Nähe des Hans Pantelija, wie auch bei Nabojina auf längere Strecken die Reste einer mehr oder weniger gut erhaltenen, circa 2 M. breiten Kaldrma sichtbar sind, die möglicherweise der Römerstrasse angehörte. Diese Pflasterung hat eine Stärke von circa 20 Cm., ist etwas gesattelt und sehr solid gearbeitet.

Am linken Ufer des Kruševljak potok bei Pečka finden sich zahlreiche römische Ziegel, welche auf eine dort bestandene antike Niederlassung schliessen lassen. Bis dorthin ist der Strassenzug zweifellos constatirt. Ueber die Fortsetzung desselben können nur Vermuthungen aufgestellt werden.

Oestlich des Plateaus von Podražnica, in der Gemeinde Tribovo, fand ich Spurrillen, welche entweder die Fortsetzung unserer Strasse nach Banjaluka bezeichnen, dann aber, gegen die Ansicht Blau's, die Führung der Strasse in der Nähe des Vrbasthales vermuthen lassen würden, oder aber auf eine Verbindung der im Donji polje nächst Varcar-Vakuf bestandenen römischen Niederlassung mit unserer Strasse zu beziehen sind, wobei die letztere nach der Annahme Blau's über Sitnica und Dobrinje nach Banjaluka führen würde. Auf alle Fälle kann angenommen werden, dass die Strasse von Pečka durch den Strbinasattel auf das Plateau von Podražnica führte. Ihr weiterer Zug bis Banjaluka darf, so lange nicht genauere Anhaltspunkte vorliegen, nach der Vermuthung Blau's angenommen werden.

3. Strasse: Prolog—Livno—Šuica—Kupreš.

In der Karte zu C. I. L. ist die Route vom Han Prolog über Livno bis Šuica als eine sichergestellte Strasse eingezeichnet. Obwohl in der erstgenannten Strecke Prolog—Livno keine Strassenreste aufgefunden wurden, kann doch der einstige Bestand dieser Strasse sowohl mit Rücksicht auf die bei Livno anzunehmende römische Niederlassung, als auch wegen der weiteren Fortsetzung über Šuica nach Kupreš nicht in Frage gestellt werden.

Die Funde von zwei Inschriften bei Rapovina nächst Livno[1]) in der Richtung gegen den Prolog, dann zahlreiche Münzfunde in der Umgebung der heutigen Stadt weisen darauf hin, dass bei Livno an der Bistricaquelle eine oder mehrere römische Niederlassungen lagen. Die Umgebung der Bistricaquelle ist im ausgedehnten Livanjskopolje der einzige Ort, welcher die Hauptbedingung für eine grössere Ansiedlung, nämlich gutes und reichliches Trinkwasser, darbietet.

Zum Schutze dieser Niederlassung wurde der Rand des steil abfallenden Thalkessels, aus welchem die Bistrica entspringt, mit Befestigungen versehen. Bisher war es nur eine Vermuthung, dass einer der oberhalb Livno stehenden Vertheidi-

---

[1]) Viestnik hrv. arkeol. družtva, XII, 1890, s. 33 (=Arch.-epigr. Mitth., IV. S. 205; C. I. L. III 9845, 9846).

gungsthürme römischen Ursprungs sei;[1]) in Folge der aufgefundenen Römerstrasse kann diese Annahme als vollständig begründet bezeichnet werden.

Dem in der Anmerkung citirten Hinweise folgend, suchte ich nach Analogie früherer Fälle dort die Strasse und fand thatsächlich die geradewegs zu diesem Thurme führenden Spurrillen, deren Fortsetzung längs des von Livno gegen Westen hinziehenden Randes des Felsplateaus Kaselov glanac sichtbar sind. Unter der Kuppe Golubovina führte die Strasse an einer schanzenartig hergestellten, wahrscheinlich römischen Befestigung vorbei, deren Zweck als der eines gegen Osten gerichteten Vertheidigungswerkes aus der ganzen Anlage deutlich erkennbar ist. Diese Strasse setzte sich bis zur Borava glava fort, soll aber, wie ich erfuhr, leider jedoch nicht mehr selbst untersuchen konnte, in der Richtung gegen den Gvozd eine Abzweigung besitzen. Von der Borovaglava, welche auf einem von dem Uebergangspunkte der gegenwärtigen Strasse südöstlich gelegenen Sattel passirt wurde, lassen sich die Spuren der Strasse bis ins Borovopolje, dann von Šuica bis gegen Stržanj verfolgen.[2])

Auf dem Sattel oberhalb Strudégrad endet der Felsgrund; die Fortsetzung der Strasse, welche bis hieher aus dem Vorkommen von Spurrillen constatirt werden konnte, erscheint fortan bis zum Gajevina-Hügel durch Steine (Figur 13) markirt, die in Entfernungen von 100—300 M. gesetzt sind. Wahrscheinlich geschah dies, um im Winterschnee des 1100 M. hohen Kupreŝer Feldes den Wanderer die Richtung der Strasse erkennen zu lassen, zu welchem Zwecke heute noch, wo nicht Telegraphenstangen diese Dienste verrichten, eigene Schneezeichen aufgestellt werden. Entlang dieser Steine ist auch der Strassenkörper stellenweise erhalten. Es ist wohl erklärlich, dass ich diesen Steinen anfänglich keinen hohen Zeugenwerth beimass. Erst als ich bei Vrila nächst Kupreŝ wieder deutlich markirte Spurrillen fand, getraute ich mich, ihnen ein höheres Alter zuzuschreiben. Möglicherweise befinden sich unter diesen Steinen auch Meilenzeichen. Doch fand sich auf keinem derselben eine Inschrift, und auch ihre Entfernungen untereinander sind durchaus irregulär.

Bei Vrila enden die sichtbaren Spuren der Strasse. Etwas weiter gegen Osten fand ich beim Dorfe Otinovci beschriebene und behauene Steine, welche vor circa zwei Jahren beim Graben der Fundamente für die neue Kirche zu Tage gefördert wurden. Von diesem Orte stammt übrigens die Inschrift: C. I. L. III 2763.

---

[1] Hornstein, Sitzungsber. der kaiserl. Akademie der Wissenschaften (phil.-hist. Cl.). Bd. XCIX, Heft II, S. 928.

[2] Hornstein, l. c., S. 928, Anm., fand zwar in dieser Richtung keine Spur einer Römerstrasse, was aber nicht Wunder nehmen darf, da die schwer erkennbaren Spurrillen abseits der Strasse liegen und die wenigen Bauern, welche von dem Vorhandensein derselben Kenntniss hatten, den Zweck dieser Rillen nicht ahnten.

Bei Otinovci selbst konnte die das Kupreŝer Feld gegen Osten abschliessende mächtige Gebirgskette nicht passirt werden, wohl aber findet sich nur circa 4 Km. weiter nordöstlich der Sattel „Velika Vrata", welchen auch die heutige Strasse passirt. An diesem 1384 M. über dem Meere gelegenen Punkte fand man die Reste eines römischen Gebäudes und eine grosse Anzahl von kupfernen Münzen. Das Gebäude dürfte ein Wachthaus gewesen sein, da an dieser unwirthlichen, den heftigsten Stürmen und Schneeverwehungen ausgesetzten Stelle wohl kaum eine andere menschliche Niederlassung anzunehmen ist. Die Vermuthung, dass die Strasse durch diesen Sattel führte, dürfte daher wohl begründet sein. Die Fortsetzung derselben in das fruchtbare Skopljefeld ist bisher nicht aufgefunden worden.

Von hier aus zog die Strasse vermuthlich weiter gegen Travnik, wo wir nicht allein beim Dorfe Putićevo eine römische Ansiedlung suchen dürfen,[1] sondern auch bei Vitezka-Kapela, Divjak und Mošunj Spuren römischer Wohnsitze sichtbar sind.

In Travnik selbst fand ich am Rande eines Steinbruches das leider inschriftlose Bruchstück eines Meilenzeigers (Nr. 49) wahrscheinlich noch an seinem ursprünglichen Platze.

4. Verbindungen zwischen dem Glamočko- und dem Livanjsko-polje.

Ausser den bisher erwähnten Inschriftsteinen und Bauresten weisen noch zahlreiche andere Funde darauf hin, dass die Ränder der weitausgedehnten fruchtbaren „Poljes" von Livno und Glamoč durch römische Ansiedlungen belebt waren.

Im Livanjskopolje sind als Fundstätten von Inschriftsteinen anzuführen: Suhaca, Kablić, Priluka, beziehungsweise Vašerovine, Lištani, Provo, Lipa und Vitoši.

Im Glamočer Felde sind Glamoč, Halapić, Glavice und Jakir als Fundstätten römischer Alterthümer zu nennen.

Es kann daher nicht Wunder nehmen, dass diese beiden, wahrscheinlich dicht bevölkerten Gebiete durch Strassen miteinander verbunden waren.

Für solche Verbindungen bieten sich in dem trennenden Gebirgswalle zwei Uebergänge. Der eine, welchen die heutige Strasse benützt, liegt unter der Koriéna, der zweite führt bei Bukva in den südlichsten Theil des Glamočkopolje. Beide wurden von den Römern benützt.

Bei der über die Koriéna führenden Römerstrasse konnte ich sowohl im Aufstiege aus dem Glamočer Felde zum Sattel, besonders aber im Abstiege von diesem Sattel bis Priluka an den Abkürzungsstellen der heutigen Serpentinen das Vorhandensein von Spurrillen constatiren. Aber nicht allein, dass sie auf dieser

[1] Rοrκsιs, Archäologisch-epigraphische Mittheilungen aus Oesterreich, 1889, Separatabdruck, S. 15 ff.

letzteren Strecke (speciell an der mit Repište bezeichneten Localität) besonders zahlreich waren. es liessen sich hier auch drei in der Entfernung von 20—30 M. nebeneinander liegende Geleise erkennen. Von diesen Geleisbahnen diente die eine der Strasse nach Livno, die zweite einer am Hange der Grbica planina gegen Vašerovina führenden Zweigstrasse, während das dritte Geleise vielleicht als Ausweiche der sich auf dieser Strecke begegnenden Wagen, welche zwischen Livno und Glamoč verkehrten, angelegt war.

Das Ausweichen im Karstterrain konnte zwar dort leicht geschehen, wo die von Spurrillen durchschnittenen Felsköpfe nur vereinzelt vorkommen und daher die Wagen zwischen diesen Hindernissen genügenden Raum zum Ausweichen fanden. Wo aber der Weg auf längere Strecken durch stark zerklüftetes Karstgestein führte, mussten Ausweichgeleise gleich dem oben angeführten hergestellt werden.

Von dem Herrn katholischen Pfarrer in Glamoč wurde mir erzählt, dass bei Bukva Spurrillen vorhanden seien, welche in das Glamočkopolje führen. Diese mir auch von anderer Seite bestätigte Mittheilung veranlasste mich, der genannten Strasse nachzugehen. und ich fand den Ausgangspunkt derselben in Kaplić, wo wir nach den oben citirten Funden eine römische Niederlassung vermuthen dürfen. Eine oberhalb Kaplić und in der Nähe der Strasse befindliche Gradina scheint zur Vertheidigung dieses Ortes gedient zu haben. Die Strasse lässt sich über die Bukva genau verfolgen. Auch im Abstieg zum Glamočer Felde waren bis zu der vor einigen Jahren erfolgten Reparatur des Reitweges die Spurrillen noch sichtbar, sind aber leider bei dieser Gelegenheit zerstört worden.

5. Strasse vom Kupreŝer Felde ins Plivathal.

Das Kupreŝer Feld und weiterhin die beim Orte Blagaj über Vaganj gegen das Plivathal führende Gebirgseinsenkung wurden von den Römern zu einer zweiten Querverbindung zwischen den beiden, unter 2 und 3 beschriebenen, vom Prolog ins Innere Bosniens führenden Strasse benützt. Heute noch wird der Weg in dieser Richtung von der Bevölkerung als ein seit uralter Zeit bestehender bezeichnet. und vom Han Malovan bis gegen Vaganj, „Solarski put" genannt. Ich konnte denselben auf der Strecke von Han Malovan bis Novoselo nicht begehen; es sollen daselbst stellenweise nur Reste einer Kaldrma, aber keine Radspuren sichtbar sein.

Ein bei Stubo vrelo an diesem Wege von mir aufgefundener Reliefstein Figur 14 lässt vermuthen, dass hier die römische Trasse vorbeizog; weit mehr aber sprechen dafür die bald darauf zwischen Novoselo und Vaganj, dann bei

Javor und Djukići von mir gefundenen Spurrillen. Die mit grosser Sorgfalt aus-
gemittelte Trace, welche das von Karstlöchern stark durchsetzte Terrain in sehr
schöner Führung durchzog, ist an vielen Stellen auch ohne Spurrillen noch leicht
erkennbar.

Von Djukići weist die Richtung der Strasse ins Plivathal. Bei Šipovo muss
nach den dort an dem Orte Crkvina gefundenen römischen Ruinen, aus welchen
das Denkmal (Figur 15) stammt,[1]) eine antike Niederlassung bestanden haben.

Für die weitere Führung dieser Strasse dürfte die Auffindung von Spurrillen
bei Kračište nächst Varcar-Vakuf, dann von Ruinen eines römischen Gebäudes
bei Han Majdan entscheidend sein. Diese beiden Fundstellen bezeichnen die natürliche Fortsetzung der Strasse von Šipovo durch das Plivathal bis Jezero, dann im
Jošavkathale aufwärts bis Han Majdan und aus diesem Thale durch den technisch
günstig gewählten Uebergang bei Vrane in das Gebiet der Crna rijeka, an deren
Ufern in Dolnje selo nach dort aufgefundenen Grabstätten[2]) einst eine römische
Niederlassung bestand.

6. Strasse von Trilj (beziehungsweise Lovreć) über Županjac ins Innere Bosniens.

Südlich vom Prolog ist die Einsenkung bei Aržano und Vinica eine dritte
Einbruchsstelle römischer Strassen nach Bosnien. Diese Einsenkung bildet die
natürliche Weglinie für die Verbindung des Buško blato und des Duvnopolje mit
Dalmatien. Ueber dieselbe würde auch die projectirte Bahnlinie von Janjići über
Travnik nach Spalato führen. Sie wurde von den Römern zur Anlage zweier
Strassen benützt. Eine derselben hatte Trilj als Ausgangspunkt, die andere Lovreć;
beide vereinigten sich in der Nähe des am Südrande des Buško blato gelegenen
Ortes Bukovagora.

Die erstgenannte Route führte, durch die von mir stellenweise aufgefundenen
Spurrillen erkennbar, über Vedrine und Tijarica oberhalb Omarćenstaje vorbei, dann
fast in gerader Richtung nach Brekalo, dem heutigen Grenzorte zwischen Dalmatien und Bosnien.

Spurrillen bei Brekalo weisen darauf hin, dass von hier aus nordwärts eine
Strasse ins Buško blato, möglicherweise in der Richtung gegen Vidoši, eine zweite
südwärts gegen Aržano zog. Beide Strassen sind aber nur Abzweigungen von der
Hauptlinie, welche sich nordöstlich über Bukovagora fortsetzt.

[1]) Vergl. die Publication der Funde von Dr. Truhelka im „Glasnik", 1892, S. 318 f.
[2]) Nach Blau in den Monatsberichten der Berliner Akademie der Wissenschaften, Jahrgang 67, S. 745,
wurde bei Dolnje selo unter einem Gewölbe ein Altar mit vier Menschenköpfen an den Ecken und dem Rest
einer Inschrift gefunden.

Ballif, Römische Strassen in Bosnien und der Hercegovina. 4

Nahe diesem Orte gelangte auch die oben erwähnte, von Lovreč ausgehende Zweigstrasse, und zwar über Studence aus Dalmatien kommend, durch das Becken von Vinica über Ravnidolac, Mehkidol und Zidine in das Buško blato. Bei Vinica fand ich gemauerte römische Grüfte, Sarkophagdeckel und Bruchstücke von Grabsteinen.

BLAU muss einen Theil der Strasse Trilj—Aržano bereist haben; er schreibt hierüber in den Monatsberichten der Berliner Akademie der Wissenschaften, 1870, Folgendes: „Von der Strasse, die nach Narona führte, hatten meine und MOIZA's letzten Untersuchungen im Jahre 1867 die Spuren bis in die Gegend von Aržano verfolgt und nachgewiesen; jenseits der bosnischen Grenze und in der Richtung über Runović hinaus fehlte es an allen Anhaltspunkten. Neuerdings haben sich jedoch Reste der alten Strasse bei Tihaljina und Nezdravica nordwestlich von Ljubuski gefunden, die für die weitere Verfolgung des Itinerars von Wichtigkeit sind."

Es geht hieraus hervor, dass BLAU die Strecke von Trilj nach Aržano für einen Theil der grossen Strasse von Salona nach Narona hielt, was nicht vollkommen richtig ist. Denn allerdings lassen die noch zu beschreibenden Strassen eine Verbindung von Trilj über Aržano—Vir nach Runović, beziehungsweise Narona zu, allein die Haupt- und kürzeste Linie führte von Narona über Runović—Lovreč nach Trilj.

Vom Vereinigungspunkte bei Bukovagora, der noch durch eine Gradina markirt ist, verfolgte die Strasse das steinige Gelände des Buško blato und übersetzte wahrscheinlich nahe bei Prisoje, bis wohin die Radspuren sichtbar sind, die Ričina. In der westlichen Lehne des Prevalasattels wurde auf künstlichem Wege mit einer Schleife der für die Strassenanlage allzu steile Anstieg etwas ausgeglichen.

Von dem genannten Sattel senkte sich die Strasse ins Duvnopolje. Ost- und westwärts von der Sattelhöhe sind die Spurrillen stellenweise vollkommen deutlich sichtbar; in den unteren Partien der Lehne verlieren sie sich. Doch wissen wir aus aufgefundenen Bauresten, dass sich an der Stelle des heutigen Županjac eine römische Niederlassung befand, welche von der Strasse über den Prevalasattel berührt werden musste.

Die nächsten Spuren der Strasse finden sich am Bukovi krš, Varda und weiter in der Paklina planina, wodurch die Strasse bis ins Ravanjskopolje constatirt ist. Hier scheint eine Gabelung stattgefunden zu haben.

Durch Spurrillen zuverlässig bezeugt ist die Führung der Strasse über den Klapovicasattel ins Gebiet der Rama bis zum Dorfe Rumboci.

Die zweite Linie würde durch den kleinen Pass Vrata über das Vukovskopolje am Raduša kamen vorbei in der Richtung auf Gornji—Vakuf verlaufen sein. Für den Bestand dieser Strasse spricht jedoch nur der Rest eines in gleichmässiger

Steigung im Thale nördlich vom Tisovica angelegten Strassenplanums, d. h. eines künstlich hergestellten Dammes (Figur 16) mit 1·5 M. Kronenbreite oberhalb Prskala staje. Auch die nächst dieser Trace befindlichen, im Volksmunde wie auch in der Karte als Rimsko groblje bezeichneten alten Grabstätten dürften für die Annahme jener Zweiglinie sprechen.

Die von HOERNES in seiner Abhandlung über römische Strassen und Orte im heutigen Bosnien auf Grund des Itinerars vermuthete Strasse aus dem Ramathale nach Županjac besteht; doch hat die Hauptlinie von Županjac aus nicht über Vidoši nach Trilj, sondern auf dem kürzeren, eben beschriebenen Wege über den Prevalasattel geführt. Hier mag die Bemerkung eingeschaltet werden, dass nach den Localstudien des Berghauptmannes RADIMSKÝ[1]) ein „Bužaningrad" zwischen Vidoši und Županjac, wohin auf Grund von Angaben des „Schematismus almae missionariae provinciae Bosnae argentinae ordinis fratrum minorum observantium pro 1877" TOMASCHEK die römische Station „In Monte Bulsinio" verlegt, nicht existirt.

Allerdings mag das erwähnte kurze Strassenstück bei Brekalo den Anfang einer Seitenverbindung nach Vidoši gebildet haben. Weiter bis Vidoši selbst ist aber eine Spur der Strasse nicht auffindbar, und erst von dem etwa eine halbe Stunde nördlicher gelegenen Dorfe Dobro an finden wir wieder Spurrillen, die sich bis auf die Borova glava verfolgen lassen. Ein Blick auf die Karte zeigt jedoch, dass das Ramathal über Vidoši nur auf einem Umwege erreicht werden kann.

Es ist wohl kaum zu bezweifeln, dass mit der beschriebenen Route der Anfang der in der Tab. Peut. überlieferten zweiten Strasse nach Bosnien, welche von Tilurio nach Argentaria führte, aufgefunden ist.

Zwei weitere, längs des linken und rechten Gehänges der Šuica gebaute Abzweigungen vermittelten die Verbindung der beiden ins Innere Bosniens führenden Strassen Prolog—Kupreš und Trilj—Aržano—Rama. Die erstere Abzweigung muss in der Nähe des Hans Marian das Duvnopolje verlassen und bei Šuica in die Strasse Prolog—Kupreš eingemündet haben, da sich nahe an beiden Orten Radspuren in der angegebenen Richtung vorfinden.

Die zweite Abzweigung wird durch das Vorkommen von Spurrillen bei Mokronoge, die kaum anderswohin als zur Borova glava oder auf das Borovopolje führen konnten, bezeugt.

Es verdient besondere Erwähnung, dass sich die Römer für ihre Niederlassungen in Livno und im Duvnopolje nicht, wie gegenwärtig, mit dem Umwege über Šuica begnügten, sondern auch die kürzere Verbindung über Mokronoge herstellten.

[1]) Archäologische Skizzen, „Glasnik", 1892. S. 223 f.

7. Weitere Strassen im Duvnopolje.

Bei Županjac war jedenfalls nicht die einzige römische Ansiedlung in dem ausgedehnten und fruchtbaren Duvnopolje. Das von mir bei Borčani gefundene Bruchstück eines römischen Grabsteines lässt vermuthen, dass sich auch dort eine Ansiedlung befand. Ebenso lässt sich vermuthen, dass einst von der Strasse aus Aržano nach Županjac, wahrscheinlich in der Gegend von Dobrići, ein Seitenweg ausging, welcher über Beljani, Podine, Križevac, Brišnik führte, dann den Höhenrücken zwischen Buško blato und Duvnopolje übersetzte und in gerader Richtung über das Polje nach Borčani lief. Ich selbst habe die Spurrillen dieser Strasse nur an der gegen das Duvnopolje gelegenen Seite des Berghanges von Brišnik über Križevac hinaus verfolgt. Von verlässlichen Leuten wurde mir aber versichert, dass auch bei Beljani und Podine Spurrillen sichtbar seien.

In Letka, einem Dorfe am östlichen Rande des Duvnopolje, fand ich das Fragment eines römischen Denksteines auf einem landesüblichen Dreschplatze als Basis des hölzernen Pfeilers, an welchem die Pferde beim Austreten des Getreides gebunden werden, verwendet. Der Inschriftstheil fehlt und soll im katholischen Pfarrhause zu Županjac eingemauert sein. Dies dürfte denn auch der Stein sein, dessen Inschrift St. Marie in seinen „Itinéraires en Hercégovine", S. 50, mittheilt. Die Inschrift dieses Steines füge ich, des Vergleiches halber, in Figur 17. bei.

Von dieser Ansiedlung bei Letka, welche von einer am Rande des Polje stehenden Gradina beherrscht wird, führte eine Strasse über die Ljubuša planina nach Rama, wie sich aus den bei Omarski dolac und Babina greda, gegen Vedasicke Kolibe zu, aufgefundenen Spurrillen ergibt.

Von der genannten Localität bis Rama sind leider keine Strassenreste auffindbar; die Terrainfiguration weist aber auf die Richtung gegen Varvara hin.

Auch das Dorf Rašćani ist der Ausgangspunkt einer Verbindung zwischen dem Duvnopolje und dem Ramathale. Die Spurrillen sind von Rašćani aufwärts bis zur Cisterne Kovacevac, dann nahe bei Pišteti vrelo sichtbar, aber auch hier wegen des stark auftretenden Graswuchses nicht weiter zu verfolgen. Die Fortsetzung dieser Strasse haben wir jedoch gegen Proslap im Ramathale zu suchen.

Bei Proslap lässt uns eine im dortigen Pfarrhause eingemauerte Inschrift, auf welche ich durch Hoernes, der von derselben gehört hatte, aufmerksam gemacht wurde, den Bestand einer römischen Niederlassung annehmen. Diese Niederlassung war vermuthlich der Endpunkt einer vierten Verbindung zwischen Rama und Duvnopolje, welche durch die bei Lokva Metalka und bei Lipa aufgefundenen Spurrillen markirt ist.

Hier müssen noch die Ziegelfunde beim Dorfe Lug, unterhalb Prozor, erwähnt werden, welche unzweifelhaft römischen Ursprunges sind.

Das fruchtbare, in der mittelalterlichen Geschichte Bosniens hervortretende obere Ramathal war also schon zur Zeit der Römer von einer Strassenstation occupirt, welche sogar mit Rücksicht auf die zahlreichen dort sich kreuzenden Weglinien als ein bedeutender Platz angesehen werden darf.

Es lässt sich ohne Schwierigkeit annehmen, dass sich von Borčani die Strasse nach Rašćani und dann längs des östlichen Randes des Polje weiter bis zu der nach Šuica führenden Strasse fortsetzte und so die hier bestehenden Niederlassungen und Communicationen untereinander verknüpfte. Als Stütze dieser Ansicht wäre noch die Gradina bei Oplećani zu erwähnen, bei welcher ebenfalls Spurrillen sichtbar sind.

Aber auch der südliche Theil des Duvnopolje blieb nicht ohne Communicationen. Zwei nahezu parallel laufende Strassen vermittelten den Verkehr aus dem Duvnopolje nach den südlichen Theilen Dalmatiens.

Die eine dieser Strassen führte von Mesihovina über die Quelle Žukovac, dann über Crtanice, Zagorje, Nikolići bis Veliki Galići, die andere über Studeno vrelo zwischen Jelinak und Crnivrh, „na kolo vratu“ ebenfalls nach Veliki Galići, und von hier aus, vereinigt mit der erstgenannten, über Imoski an die grosse Heerstrasse Narona—Salona.

Spurrillen, welche ich an allen genannten Orten gesehen habe, bezeugen zweifellos den Bestand dieser Strassen.

A. K. Matas[1]) berichtet über eine Strasse, die von Imoski über Podigornje nach Vinjani führte. Diese Strecke bildet den auf dalmatinischem Boden gelegenen Beginn der oben beschriebenen Routen.

Mit Rücksicht auf diese Communicationen müssen wir auch eine längs des westlichen Randes des Duvnopolje hinziehende Strasse annehmen, obwohl Spuren derselben nicht aufgefunden wurden.

Hier sei endlich noch eine Strassenverbindung erwähnt, die von Aržano über Vinica am Fusse des Zavelingebirges vorüberführte und über Vir in die Strasse Imoski—Duvno einmündete. Ich habe die auf dieser Linie zwischen Vinica und Vir vorkommenden Spurrillen nicht selbst besichtigt, erhielt aber von mehreren Seiten die Bestätigung ihrer Existenz.

[1]) Viestnik, hrv. ark. družtv. II. 1880. S. 33.

8. Strassen in Posušje und Rakitno.

Diese beiden, an Ausdehnung allerdings gegen das Duvno-, Livanjsko- und Glamočkopolje zurückstehenden Kesselthäler enthielten ebenfalls Stätten römischer Cultur. Im Becken von Posušje geben uns die beim Baue der Kirche in Gradac gefundenen römischen Baureste (Figur 18—19) Kenntniss von einer hier bestandenen Niederlassung; auch andere Funde römischen Ursprunges bestätigen die antike Besiedlung dieser kleinen Ebene.

Im „Glasnik", Jahrgang 1891, S. 413 ff. weist Berghauptmann RADIMSKÝ auf Grund der im Rakitnopolje gemachten Funde den Bestand einer römischen Niederlassung in der Localität Staroselo unter der Gradina von Zagradina nach, welche letztere ebenso wie jene bei Petrovići von dem Entdecker als römische Befestigungswerke erkannt wurden. Nach dem genannten Gewährsmanne zieht sich zwischen den Ruinen von Staroselo und Petrovići ein gepflasterter Weg hin, welcher zum Theile unter der Erde liegt und beim Ackern häufig aufgeschürft wird, stellenweise aber auch frei zu Tage liegt. Ein Stück dieses Weges wurde von ihm besichtigt und mit folgenden Worten beschrieben:

„Die Strasse ist mit unbehauenen Steinen gepflastert und mit ebensolchen Steinen, welche 10—15 Cm. über die Strassenbahn emporstehen, beiderseits eingefasst.

„Die Breite der Strassenbahn misst 120—130 Cm., einschliesslich der Randsteine circa 170 Cm. Demnach dürfte diese Römerstrasse nur ein Reitweg gewesen sein. Sie führte jedenfalls aus der Narentaebene in die Gegend des heutigen Mostar, über das Mostarsko blato und die Varda planina gegen Zagradina und Petrovići. Bei Petrovići dürfte sich mit dieser Strasse eine zweite vereinigt haben, welche nach den vorhandenen Spuren aus dem Trebižatthale über die Römerstation Gradac bei Posušje und weiter über Trebistova in das Hochthal von Rakitno geführt hat. Von Petrovići lief diese Strasse über den Jaramberg, wo sie nach Pater BAKULA[1] auf 500 Schritte in den Felsen gehauen ist, in das Thal Duvno und an der römischen Niederlassung bei Borčani vorbei in das heutige Županjac, in dessen Nähe die Reste einer grösseren römischen Ortschaft vorkommen und wo wiederholt römische Inschriftsteine gefunden wurden."

Das Vorhandensein einer von Gradac nach Rakitno führenden Römerstrasse kann ich auf Grund der Spurrillen, welche am Wege von Gradac nach Trebistova in der Jovike dolina-Schlucht, ferner nächst Klanac auf dem Sattel zwischen

---

Schematismus topographico-historicus custodiae provincialis et vicariatus apostolici in Hercegovina. Spalato 1867, pag. 135.

Trebistova und Rakitnopolje und endlich unmittelbar bei der Gradina von Petro-vići aufgefunden wurden, bestätigen.

Ueber den Ausgangspunkt der Strasse lassen sich bis jetzt nur Vermuthungen aufstellen. Spurrillen, welche bei Ružići gefunden sein sollen, würden auf eine im Tihaljina-Thale erfolgte Abzweigung dieses Weges von der Strasse Narona—Salona hindeuten.

Nördlich von Rakitno lassen sich die Spuren bis zum Stitar verfolgen, wo sie sich leider verlieren. Wahrscheinlich hat die Strasse den natürlichen Weg durch die Thalschlucht Grladol gegen Lipa genommen, wodurch im Anschluss an die schon beschriebene Strasse Lipa—Proslap die Verbindung mit Rama hergestellt wurde.

Die von Pater BAKULA erwähnte, in den Felsen gehauene Strasse, womit ver-muthlich Spurrillen gemeint sind, konnte ich trotz meiner Nachforschungen auf dem Jaramberge nicht auffinden. Diese Spur liegt aber auf dem durch die Natur vorgeschriebenen Wege, welcher die römische Ansiedlung in Rakitnopolje mit jener bei Borčani verband, weshalb auch diese Verbindung in meiner Karte Auf-nahme fand.

Ferner weisen die von mir zwischen Vlašani und dem Praedium Konjsko ge-fundenen Spurrillen auf eine Strasse, die aus dem Rakitnopolje in das Drežnica-thal führte. Die Spuren verlieren sich circa 1 Km. vom obersten Ausgangspunkt dieses Thales und konnten im Thale selbst nicht wieder gefunden werden.

Eine zweite Strasse kreuzte das Becken von Posušje am westlichen Ende. Sie zweigte wahrscheinlich bei Veliki Galići von der von Imoski ins Duvnopolje führenden Strasse ab und zog sich über Vinjani, dann bei Zavraci und Muslići-Klanac, an welchen Orten sie durch Spurrillen markirt ist, weiter ins Polje von Trebistova, wo sie sich mit der früher beschriebenen Strasse nach Gradac—Ra-kitno vereinigte.

Die unterhalb des Klenak und bei Marić kuca aufgefundenen Strassenspuren weisen endlich auf einen dem Vuči polje zugewendeten Seitenast dieser Strasse hin.

9. Strasse Salona—Narona (Vid).

Im Mündungsgebiete der Narenta lag, beim heutigen Vid, die bereits in der republikanischen Zeit bedeutende Handelsstadt Narona, welche für den Süden Dal-matiens die Pforte zum Hinterlande bildete.

Die Bedeutung Naronas ist, mit der entsprechenden Abschwächung, auf das heutige Metković übergegangen. Auch dies ist noch ein für den Verkehr und für strategische Zwecke wichtiger Punkt, aber viel namhafter war die Position Naronas im Alterthum, wo die Haupttendenz des Verkehres von der Meeresküste zur unteren Donau gravitirte.

Bisher war nur die Strassenstrecke, welche von Narona über Humac und Klobuk durch das Tihaljinathal ins Becken von Imoski und dann weiter über Lovreć und Trilj nach Salona führte, näher bekannt.

Ich habe diese Strasse bis ins Becken von Imoski bereist und kann folgende Details zur genaueren Kenntniss derselben liefern. Es gelang mir, die Bruchstücke mehrerer römischer Meilensteine, und für zwei derselben die ursprünglichen, 3 Km. von einander entfernten Standplätze (Nr. 28 und 29 der Karte) nachzuweisen. Das bei 29 in der Ortschaft Rašići vorgefundene Bruchstück hat im Durchmesser 45 Cm. und trägt die Meilenzahl XLIII. Demnach würde der Ausgangspunkt dieser Stationirung in der Nähe von Trilj zu suchen sein.

Zwei weitere Meilensteinbruchstücke, Nr. 30 und 31, mit Inschriftresten, wurden in der Nähe des Ortes Biača aufgefunden.

An den in der Karte bezeichneten Stellen sind Spurrillen und in der nächst dem Dorfe Zvirići gelegenen Strecke (das Dorf selbst liegt circa 2 Km. östlich) vollständig erhaltene Theilstücke der Strasse bemerkbar. Dieselbe hatte eine Breite von 5 M., war beiderseits von Randsteinen eingesäumt und dazwischen aus grobem Schotter gebildet (Figur 1). Dass wir es hier thatsächlich mit dem Reste der Römerstrasse zu thun haben, zeigt das an einer Stelle fast unmittelbar auf den vorbeschriebenen Strassenkörper folgende Vorkommen einer Spurrille. Auch an vielen anderen Orten, so bei der Nemacquelle, bei Kanica kula, am Hange nahe der Sattelhöhe oberhalb der Tihaljinaquelle, lassen sich noch Spuren des römischen Strassenkörpers und hin und wieder Reste des mörtellos gefügten Stützmauerwerkes erkennen.

Im unteren Laufe des Mladethales, von Klobuk bis Narona, finden sich zahlreiche Spuren römischer Besiedlung, die aber schon längere Zeit bekannt sind und hier nicht wieder aufgezählt werden sollen. Nur die meines Wissens noch nicht publicirte Inschrift eines auf der Sattelhöhe bei Tihaljina gefundenen Votivsteines soll im Anhang eine Stelle finden.

10. Die Strasse von Narona im Narentathale aufwärts bis in die Ebene von Sarajevo.

Der Lauf der Narenta von Konjica bis Metković und weiterhin zur Küste, der oberhalb Konjica gelegene Ivansattel, sowie das von diesem Sattel ostwärts in das Sarajevskopolje führende Thal bilden einen so natürlichen, heute von Bahn und Strasse benützten Verkehrsweg, dass es uns Wunder nehmen müsste, wenn wir nicht auch hier den Spuren einer römischen Strasse begegneten. Wenn daher in dieser Richtung auch nur drei, allerdings für die Strassenführung charakteristische Stellen die thatsächlichen Reste der Römerstrasse zeigen, so bieten doch diese, sowie die übrigen, längs dieser Linie gemachten, antiken Funde hinlängliche Gewähr, um, abgesehen von der Bestimmung der einzelnen Flussübergänge, den allgemeinen Verlauf der Strasse mit Sicherheit verfolgen zu können. Die ersten Anzeichen derselben finden sich in Form von Spurrillen am Beginne des circa 30 Km. langen Narenta-Defilées, flussaufwärts von Han Orlice. Circa 8 Km. weiter sind ebensolche Rillen nahe dem Han Počelje bis zur Crno vrelo sichtbar; an dieser Stelle sind auch das Planum und Reste der Stützmauer zum Theile erhalten. Den nächsten Anhaltspunkt bieten vier am rechten Ufer der Trešanica, westlich vom Han Vitek beim Bahnbau im Winter 1890/91 beisammen aufgefundene Meilensteine Nr. 32—35, welche allerdings nicht mehr an ihren ursprünglichen Plätzen standen. Drei derselben sind mit Inschriften versehen, welche bereits im „Glasnik", Jahrgang 1890, von Dr. Truhelka publicirt worden sind, aber nunmehr nach den Originalen in treuer Copie (Fig. 21—22) geboten werden.

Die Fundstelle ist von den bei Crno vrelo gefundenen Strassenspuren circa 45 Km. entfernt; da aber die Strasse zweifellos beim Han Orlice in das enge Narenta-Defilée eintrat, so kann sie wegen der im Trešanicathale gefundenen Meilensteine bis Konjica nur im Narentathale verlaufen sein.

Details über die weitere Traceführung vom Han Počelje bis Podorežac fehlen allerdings; wir haben nur einen Anhaltspunkt hiefür in den Funden römischer Alterthümer beim Dorfe Lisičić, welche vermuthen lassen, dass die Strasse, die dortige römische Wohnstätte berührend, an dieser Stelle am rechten Narentaufer zu suchen sei.

Die Fundstelle der vier Meilensteine im Trešanicathale liegt unterhalb des Ivansattels. In diesem Thale steigt auch die heutige Strasse zur Sattelhöhe empor. Diese ist mit 960 M. Meereshöhe in der bis 2000 M. hohen Gebirgskette, welche hier die Wasserscheide zwischen Pontus und Adria bildet, der natürliche Uebergangspunkt in der Richtung gegen das Sarajevskopolje.

Zwischen dem Ivansattel und dem Sarajevskopolje treffen wir eine Reihe von Fundstätten römischer Alterthümer.[1]

Es fanden sich: bei Pazarić ein grosser Grabstein, bei Blažuj ein Reliefstein, an der Bosnabrücke bei Ilidže ein Stein mit Sculpturen, endlich bei Svrakinoselo am linken Ufer der Miljacka ein Inschriftstein.

Diese Steine führen uns in das Sarajevskopolje, wo in der Nähe von Blažuj eine grössere römische Niederlassung zu vermuthen sein dürfte. Abwärts der Narenta, vom Han Orlice bis Vid, konnte trotz der eifrigsten Nachforschungen keine Strassenspur aufgefunden werden.

---

[1] Hörnes, Archäologisch-epigraphische Mittheilungen aus Oesterreich, 1880, S. 13 ff.

Nachdem die Römer sich nicht gescheut hatten, das enge und an manchen Stellen sehr schwierige obere Narenta-Defilée vom Han Orlice bis Jablanica zur Strassenanlage zu benützen, kann in den Bauschwierigkeiten, welche das unterhalb Mostar zwischen Buna und Čapljina liegende Defilée darbot, kein Hinderniss gesucht werden. Und in der That müssen die Römer durch dieses Defilée die Strasse geführt haben, wie Berghauptmann RADIMSKÝ in seiner archäologischen Studie „das Bišćepolje bei Mostar"[1]) nachzuweisen unternimmt.

Der genannte Autor schreibt in seinem Ueberblick der dortigen Denkmäler: „Unter den Resten der römischen Culturepoche interessirten uns die Flachgräber von Hodbina, die beiden Brücken Kosorska und Kvanjska ćuprija, die Ruinen der Befestigung Gradina bei Bačevići und der zwei Befestigungen am Eingange des Narenta-Defilées, dann die Ruinen der Gebäude beim Mukoš Han, bei Hodbina. Malopolje, Suhopolje und Berberovići, ferner die Ueberreste bisher unbekannter Ansiedlungen in Bačevići, Gnojnica, Kosov unter der mala Gradina, vor Allem aber jene im Riede Negoćine an der Bunica, weil diese Ansiedlung als Knotenpunkt von vier Strassen wahrscheinlich die Hauptansiedlung der Römer im Bišćepolje bildete.

„Eine römische Strasse führte nämlich von hier südwestlich gegen Narona, eine zweite südöstlich gegen Stolac, eine dritte nordöstlich über Blagaj gegen Nevesinje, und eine vierte nördlich über das heutige Mostar gegen Konjica.

„Dr. HOERNES nimmt zwar an, dass die Strasse von Narona in die Ebene von Mostar über Humac bei Ljubuški und Krehin Gradac geführt habe, „da das Narentathal von Počitelj an ungangbar ist".

„Diese Ansicht entspricht jedoch nicht den thatsächlichen Verhältnissen, denn es lassen sich vom Bišćepolje durch das Narenta-Defilée bis Narona Schritt für Schritt die Reste römischer Ansiedlungen verfolgen, welche jedenfalls durch eine Strasse verbunden sein mussten.

„Die römische Strasse von der Ansiedlung in Negoćine gegen Narona setzte vorerst wahrscheinlich auf das rechte Ufer der Buna über und ging dann zwischen den römischen Befestigungen der Mala Gradina und der Gradina von Bačevići auf das rechte Ufer der Narenta.

„Sie berührte die römische Ansiedlung unterhalb der Mala Gradina und ging, ähnlich wie heute die Eisenbahn, am rechten Ufer der Narenta im Defilée selbst bis Žitomišlić, somit in das Herz dieser Flussenge. Hier dürfte wieder ein Flussübergang bestanden haben, denn wir finden am rechten Narentaufer, unweit der gegenwärtigen Eisenbahnstation Žitomišlić, die Reste einer kleineren, ihr gegenüber jedoch, am linken Ufer des Flusses, zwischen diesem und dem Kloster Žitomišlić

---

[1] „Glasnik", Jahrgang 1891, S. 159—192.

die Reste einer ausgedehnten, über 10 Hektar bedeckenden römischen Ansiedlung mit Gräbern und hoch über beiden auf einer Kuppe des rechten Ufers die hübsche Burgruine Kozmay, als Rest einer ebenfalls römischen Befestigung.

„Von Žitomislić verlief die Strasse weiter über Čapljina, wo 1891 bei dem Baue des Tabakmagazins römische Dachziegel tief in der Erde vorgefunden wurden, und römische Münzen häufig vorkommen, nach Narona, dem heutigen Dorfe Vid in Dalmatien.

„Eine zweite Strasse führte südöstlich von Negorine über die Kvanjska ćuprija und Rotimlja gegen Stolac. Im Zuge dieser Strasse wurde bei dem Dorfe Megjina, knapp vor Rotimlja, das Bruchstück eines römischen Inschriftsteines aufgefunden, und sollen mehrere ähnliche Steine in die dortigen Häuser verbaut sein. In Rotimlja treffen wir unweit einer Gruppe altbosnischer Grabsteine viele römische Ziegelstücke verstreut, und ist die Umgegend auch ein Fundort römischer Münzen. Noch weiter südlich kommen in der Gemeinde Triebanj bei dem Weiler Čardaci im Riede Okladje auf dem Acker des Mehmed aga Djoke grössere Hügel aus gebrauchten Mauersteinen und mit Mörtel gefügte Grundmauern rechteckiger Gebäude vor. Bei einem dieser Baumaterialienhaufen wurde ein schön bearbeiteter Gewölbstein von 36 Cm. Länge, 25 Cm. Breite und 16 Cm. Höhe, dann ein römischer Inschriftstein angetroffen.

„Der dritte Strassenzug führte von Negorine auf einer wahrscheinlich bei dem Punkte e der Karte (Radimsky's) bestandenen Brücke über die Bunica, dann über die antike Brücke Kosorska ćuprija und die römische Ansiedlung von Kosor nach Blagaj.

„Die vierte Strasse endlich zweigte am rechten Bunauter von der erstgenannten ab und verfolgte ungefähr den jetzigen Weg an der Ruine des römischen Gebäudes bei dem Mukoš Han vorbei, gegen die Flussenge, in welcher heute Mostar liegt. Von Blagaj führte ein Weg gegen diese Flussenge über Dračeviće zu der römischen Ansiedlung, deren Reste wir in Gnojnica bemerkt haben."

Auf Grund unserer Anschauung von dem Wesen der römischen Strassenanlagen können wir demnach die Führung der Strasse entlang der Narenta bis Narona mit Sicherheit annehmen, wenn auch bis jetzt keine Ueberreste derselben aufgefunden worden sind.

Nur die von Radimsky vermuthete dreimalige Uebersetzung des in diesem Defilée schon an 100—150 M. breiten Narentaflusses ist nicht sehr wahrscheinlich, da nächst Narona für die Strasse ins Nevesinjskopolje jedenfalls eine Brücke bestanden haben muss, und diese daher die vierte auf der gedachten kurzen Strecke gewesen wäre.

Möglicherweise sind beide Ufer der Narenta mit einer Strasse versehen gewesen, deren Herstellung jedenfalls weniger Schwierigkeiten bereitete, als die Erbauung von drei weiteren Narentabrücken.

Von Mostar aufwärts wäre nach der Vermuthung von HOERNES die Strasse über Porim und Bjela nach Konjica gegangen. Ich reiste auf diesem Wege, welcher durch die Velika Draga das Hochplateau von Ruiste erreicht, und fand daselbst an mehreren Stellen Spurrillen; ferner einige solche bei Bahtjevica-Karaula, und im Abstieg von Lipeta-Karaula gegen Borke.

An dem gegenwärtigen Reitweg, welcher vom Gendarmerieposten Lipeta-Karaula nach Borke führt, liegt das Bruchstück einer runden Säule von 45 Cm. Durchmesser, vielleicht der Rest eines Meilensteines. Ausserdem ist durch Funde römischer Ziegel bei der Gendarmeriekaserne Borke der Bestand einer römischen Ansiedlung in dem kleinen dortigen Hochthal bezeugt.

Wird nun weiter erwogen, dass diese Linie gegenüber der Narentathalstrasse eine bedeutende Abkürzung des Weges darstellt, so dürfen wir auch für den Bergweg, auf welchem bis zur Zeit vor der Occupation der ganze Verkehr zwischen Sarajevo und Mostar sich bewegte, den einstigen Bestand einer römischen Strasse folgern.

11. Strasse Narona—Nevesinjskopolje.

Wie Salona, bildete auch Narona einen Brennpunkt für das Strassennetz seines Hinterlandes. Den Verkehrsadern, welche im Westen und Norden der Narenta von Narona ausstrahlten, schliesst sich nun eine östlich vom Narentathale gelegene Strasse an, welche ins Nevesinjskopolje führte, deren wahres Endziel aber allerdings derzeit noch unbekannt ist.

Ein noch an seiner alten Stelle nächst der Bregavabrücke bei Klepci stehender Meilenstein (Nr. 36) bildet den ersten Wegweiser. Ein zweiter Meilenstein (Nr. 37) fand sich als Radabweiser an der Bregavabrücke benützt und wurde von mir ausgegraben.

Weiter fand ich im Aufstieg aus dem Bregavathal zum Plateau von Dubrava, beim Dorfe Celarevina, dann bei Dubci gromila, Gomila und unter der Baburina Spurrillen und in der Nähe des Baches Cetkova voda ein im Felde liegendes Meilensteinfragment (Nr. 38) mit Inschriftresten.[1]) Obwohl schon diese Funde den Bestand einer weiteren, von Narona ausgehenden Strasse wahrscheinlich machten, blieb doch zwischen den Spurrillen bei Dubci gromila und Celarevina ein so grosses Intervall, dass ich mich veranlasst fand, auf dem Plateau von Dubrava weitere Nachsuche zu halten, wodurch es gelang, bei der Ortschaft Opiac neue Spurrillen aufzufinden, welche die Führung der Strasse über das genannte Plateau bestätigen. Diese Strasse scheint die römische Niederlassung bei Stolac nicht direct berührt

---

[1] Publicirt von HUSSCHENLAD in den Archäologisch-epigraphischen Mittheilungen aus Oesterreich. VII. 1888.

zu haben; wahrscheinlich hat, ähnlich wie bei jener in Sipovo, nur ein Seitenweg dorthin geführt.

Von Jasena an verfolgte über mein Ersuchen Ingenieur Straka die Spuren der Strasse und constatirte das Vorkommen von Spurrillen auf dem Wege vor der Oštra gromila und unterhalb des Orlovac. Die Strasse führte demnach zweifellos ins Nevesinjskopolje, und es bleibt nur die Frage offen, ob sie bei Šehovina, in unmittelbarer Nähe der Stadt Nevesinje, oder circa 2—3 Km. weiter südlich, in der Nähe von Žiljevo, in das Polje gelangte. Unterhalb des Drenovik wurde im Jahre 1886 beim Strassenbaue ein römisches Grab aufgedeckt. In der Nähe des Einräumerhauses in Kifinoselo und nächst Plužine sind Radspuren zu bemerken.

Wohin die Strasse von hier aus führte, ist noch nicht aufgeklärt. Das Thal der Zalomska würde einen bequemen Weg gegen Gacko eröffnen; es ist aber auch möglich, dass die Strasse den sehr alten Weg über die Morinje gegen Sarajevo einschlug.

12. Strasse von Ragusa vecchia nach Trebinje.

In seinen „Antiquarian Researches in Illyricum" verfolgt A. J. Evans mit Hilfe mehrerer Funde, darunter zweier Meilensteine (im Passe Lučindo und im Mokropolje), die Strasse von Ragusa vecchia, dem alten Epidaurum, nach Trebinje. Diese Route ist, nach Evans' Annahme, in meine Karte eingezeichnet.

Evans folgert aus den Distanzangaben der Itinerarien, dass die Strasse sich über Bilek gegen Gacko fortgesetzt habe, und wird darin durch die Mittheilung eines Ingenieurs über das Vorkommen von Strassenresten zwischen Bilek—Korito—Crnica und dem Gackopolje bestärkt.

Ich habe es mir umsomehr angelegen sein lassen, in der angegebenen Richtung nach Strassenresten zu forschen, als die genannte Route der Hauptweg war, welchen die Karawanen der Ragusäer auf ihrem Wege ins Innere der Balkanhalbinsel einschlugen.[1]

Meine Bemühungen waren leider erfolglos.

Eine alte Kaldrma, stellenweise aus mächtigen quaderähnlichen Steinen hergestellt, durchzieht das Gackopolje in der Richtung von Jovanovo brdo gegen Kula Fazlagić.

Die solide Arbeit hätte zur Annahme römischen Ursprunges verleiten können, wenn ich nicht auf einem dieser Quaderblöcke die Reliefdarstellung eines Schwertes gefunden hätte, wie sie auf mittelalterlichen Grabsteinen häufig vorkommt. Ich ersah daraus, dass die behauenen grossen Steinblöcke von christlichen Grabstätten

---

[1] Jireček, „Die Handelsstrassen und Bergwerke von Serbien und Bosnien während des Mittelalters", S. 74 ff.

herstammen; ausserdem wurden solche, wie mir die Leute erzählten, auch einer alten Kirche entnommen.

Indessen fanden sich andere Ueberreste aus römischer Zeit, so bei Orahovica an der Strasse Stolac—Plana das Bruchstück eines römischen Gesimses (Figur 23), 1·4 M. lang, 90 Cm. breit, 65 Cm. stark, welches im Mittelalter als Grabstein Verwendung fand, dann auf demselben Friedhof ein zweites, stark verwittertes Gesimsstück.

Fundamente und Ziegelbruchstücke lassen auf ein römisches Gebäude schliessen, dessen Trümmer als Grabsteine und wohl auch zum Baue einer alten christlichen, jetzt ganz verfallenen Kirche verwendet wurden.

Von einer zweiten, beim Dorfe Fatnica gelegenen Fundstätte stammt der von Berghauptmann RADIMSKY im „Glasnik“, Jahrgang 1892, S. 126, beschriebene römische Inschriftstein.

Ausserdem sollen sich, nach verlässlicher Mittheilung, bei Ciprijan, in Borilovići, Augjelić, Panik und in Mirože (bei der Kirche) römische Ziegelreste mehr oder minder zahlreich vorfinden.

Alle diese Spuren weisen auf Ansiedlungen längs der Linie Trebinje—Bilek hin und machen den Bestand einer Strasse wahrscheinlich, deren Auffindung vielleicht der Zukunft vorbehalten ist.

13. Strasse aus dem Sarajevskopolje über die Romanja planina ins Drinathal

Gegen das reiche Ergebniss der Localstudien im westlichen Bosnien und in der Hercegovina muss jenes meiner Untersuchungen im mittleren und östlichen Bosnien nothwendig zurückstehen.

Selbst wenn wir in den letztgenannten Landestheilen ein ebenso dichtes Strassennetz wie in jenen Grenzgegenden des Küstengebietes zu erwarten hätten, würde die Auffindung desselben bei Weitem schwieriger sein. Hier hat, dank einer besseren Beschaffenheit der Oberfläche, die Bodencultur in ausgedehnterem Masse von der Erde Besitz ergriffen und die Spuren der Vergangenheit verwischt. Nur in den unbetretenen Gebieten des Urwaldes konnten sich diese erhalten, und dort wurden sie auch aufgefunden.

Allein hievon abgesehen, darf wohl auch angenommen werden, dass mit der Entfernung von der küstenländischen Culturzone die Niederlassungen der Römer spärlicher wurden und die Communicationen sich mehr und mehr auf einzelne Hauptlinien beschränkten.

Eine solche Strasse bildete jedenfalls die im Titel dieses Abschnittes genannte.

Der unermüdlichen Thätigkeit des Gendarmeriewachtmeisters DRAGIČEVIĆ aus Vlasenica gelang es, in den Waldungen der Romanja planina eine Römerstrasse aufzufinden, welche sich circa 45 Km. lang verfolgen lässt und an neun Stellen durch Meilensteine bezeichnet ist.

Die ersten Spuren finden sich bei der Gendarmeriekaserne von Žljebovi und führen bis zum Abstiege ins Jadarthal. Abweichend von den Strassenresten im Karstterrain sind hier nicht die Spurrillen unsere Führer, sondern das in seinen Contouren mehr oder minder erkennbare Strassenplanum, unter dessen heutiger Oberfläche 15—20 Cm. tief sich noch die Reste des Grundbaues erhalten haben. Eine solche Stelle zeigt Figur 9. Diese Strassenspuren sind von mächtigen Bäumen überwachsen und mit dem Moder hundertjähriger Stämme bedeckt, also sichtlich hohen Alters. Dennoch wäre die Annahme römischen Ursprunges auch hier eine gewagte ohne das Zeugniss der Meilensteine.

Die ganze Anlage nähert sich der unserer heutigen Strassen. Auch hier fällt die vorzügliche Tracenführung und die weitgehende Ausgleichung des Strassengefälles auf. Die Maximalsteigung beträgt, so viel sich beurtheilen lässt, nicht mehr als 10%; sowohl der Ab- und Aufstieg am Pisticapotok, wie auch der Abstieg ins Jadarthal, welcher in Serpentinen erfolgte, lässt dies genau erkennen. Die Strasse war 4·5—5 M. breit und mit einem Pflaster versehen, welches vermuthlich eine Schotterbedeckung trug und damit zum Wagentransporte jeder Art genügende Festigkeit besass.

Die Meilensteine standen nicht einzeln, sondern in Gruppen von mehreren (mindestens sechs) Säulen. Die erste Gruppe (Nr. 39) mit sechs bis sieben Steinen (wovon vier mit Inschriften) fand sich zwischen dem Debelobrdo und Tisovac. Hierauf folgte in der Entfernung von 3 Km. eine zweite bei Brkovina (Nr. 40) aus wahrscheinlich sechs Steinen, worunter zwei mit besser erhaltenen Inschriften.

Weiter finden sich in Entfernungen von je 1·5 Km.:

1. Zwei schriftlose Fragmente (Nr. 41) im Aufstiege aus dem Pistica potok zur Alajbegovina;

2. ein schriftloses Meilensteinfragment (Nr. 42) als Unterlagstein im Stalle des Bauers Maximović;

3. Bruchstücke von sechs bis sieben Steinen (Nr. 43, zwei davon mit Inschriften, an der Quelle unterhalb des in der Karte mit Mitrović bezeichneten, einzeln stehenden Hauses;

4. ein ganzer und Bruchstücke von fünf bis sechs zerschlagenen Steinen (Nr. 44), der erstere 1·6 M. lang bei 46 Cm. Durchmesser, drei der letzteren mit Inschriften, im Kiridžinskidol;

5. Bruchstücke von circa drei Steinen (Nr. 45) im Kraljevopolje.

Die Gruppen 1—5 liegen an ihren ursprünglichen Standorten, dagegen ist die Fundstelle des jetzt bei Lukavica liegenden Bruchstückes mit Inschrift nicht mehr zu bestimmen.

Die Arbeit der Steine selbst, wie auch die Ausführung der Inschriften, ist eine rohe und flüchtige.

Der Stein bei Lukavica deutet auf den Abstieg ins Jadarthal, und das an mehreren Stellen im Jadarthale aufgegrabene Strassenpflaster zeigt die Fortsetzung der Linie zur Drina. Zahlreiche Funde römischer Ziegel in der Thalweitung des Jadar, unterhalb der Mündung des Kravicapotok, lassen den Bestand einer römischen Niederlassung erkennen. Bei dieser enden die bisher aufgefundenen Spuren der Strasse, die sich zweifellos bis ins nahe Drinathal fortsetzte und sich dort mit einer anderen, weiter unten zu beschreibenden Strasse vereinigte.

Wie fast jeder Landestheil Bosniens seine legendenhafte Strasse besitzt, so ist dies auch bei der Romanja planina der Fall, über welche der Weg der „prokleta jerina" (der „verfluchten Helena") führte. Mit diesem Namen wird eine alte Kaldrma bezeichnet, die in der Nähe der heutigen Strasse vom Han Naromanja gegen Podromanja hie und da bemerkbar ist.

Ich besichtigte dieselbe auf meiner Rückreise nach Sarajevo, konnte mich jedoch nicht entschliessen, diese Kaldrma als ein römisches Werk zu betrachten.

Im Walde, welcher den westlichen Abhang der Romanja planina gegen das Thal des Krsulj potok bedeckt, traf ich ein in vollkommen gleichmässiger Steigung thalwärts führendes Strassenplanum, welches ich circa 2 Km. lang verfolgen konnte, und welches nach seiner Anlage als Fortsetzung des auf der Romanja planina gefundenen Strassenzuges bezeichnet werden darf. Mit diesem Wegstücke und mit dem beim Han Obhodjaš aufgefundenen 1·3 M. langen Bruchstücke eines Meilensteines ohne Inschrift (Nr. 47) sind für die Reconstruction der Strasse aus dem Sarajevskopolje auf das Plateau der Romana planina Anhaltspunkte geboten, mit welchen wir uns vorläufig begnügen müssen.

Die Auffindung dieser Strasse ist von besonderem Werthe, weil sie jedenfalls einer der Hauptwege war, den die Römer zur Drina und weiter bis Sirmium einschlugen, und auf dem sie vielleicht auch zu ihrer Station Argentaria gelangten, deren Lage noch nicht mit Sicherheit bestimmt werden konnte.

14. Die Drinathalstrasse.

Ein beträchtliches Stück dieser Strasse hat Dr. TRUHELKA aufgefunden, dessen Mittheilungen hier aus dem „Glasnik", Jahrgang 1891, S. 239—245, wiederholt werden mögen.

„Die erste Spur einer römischen Strasse längs der Drina fand ich bei ihrer Einmündung in das Thal unweit von Bratunac (Ljubovija), 2 Km. vom Ufer entfernt. Von da konnte ich weitere Spuren derselben auf eine Strecke von 45 Km. verfolgen.

„In grösseren und kleineren Zwischenräumen fanden sich Gebäuderuinen, die mich längs der Drina bis Gjurgjevac führten. Die ersten solchen Ueberreste sind unter Gestrüpp zahlreich bei Voljevia zu bemerken. Zwischen ihnen steht noch der Rest eines römischen Meilensteines aufrecht in der Erde. Von Architekturfragmenten traf ich Stücke eines Gesimses und einer Säule aus Kalkstein. Plan und Grösse des Gebäudes lassen sich ohne Rodung und Ausgrabung nicht feststellen.

„Ein paar Kilometer weiter zeigten sich im Thale noch deutlichere Spuren der Strasse. Arbeiter, welche beim Bau der Strasse Bratunac—Skelani Steine benöthigten, fanden und zerstörten ein altes Pflaster beim Han Bjelovac in der Länge von 7·5 M.

„Dadurch konnte ich feststellen, dass die Strasse im Thale parallel mit der Drina lief. Sie war 4 M. breit, etwas gesattelt und auf beiden Seiten mit grossen Steinen eingefasst. Dass diese mit einer 30—50 Cm. starken Humusschichte bedeckte Strasse eine römische war, beweisen die tiefen Radspuren, welche an vielen Steinen des Pflasters bemerkbar sind.

„In der Nähe fanden sich zwei Bruchstücke eines römischen Denksteines.

„Diese Strasse führte zum Saskaflusse, den sie beim Han Bjelovac übersetzte; hier verwischen einige Hans (landesübliche Einkehrhäuser), die auf der Strasse selbst gebaut sind, die Spur derselben, doch gleich einige Meter weiter findet man sie wieder, und ich konnte sie noch auf 200 M. erkennen, wo sie sich dann im Humus verliert. Bemerkenswerth ist, dass diese Strasse an der Mündung der Saska rijeka vorbeiführt und nicht ins Thal abzweigt, so dass sie mit Domavia, der römischen Bergstadt in Gradina bei Srebrenica, wahrscheinlich nur durch einen Seitenpfad verbunden war.

„Die nächsten römischen Denkmäler wurden bei Sikirić angetroffen.

„Am 17. Mai 1891 fanden Arbeiter beim Baue der oben erwähnten neuen Strasse von Bratunac nach Skelani (Bezirk Srebrenica) in der Nähe des Dorfes Sikirić ein Depot römischer Kupfermünzen, welche circa 40 Cm. tief frei in der Erde lagen.

„Nicht weit von der Strasse und dem Fundorte der Münzen liegt ein römischer Friedhof mit mehreren Grabsteinen und einem Sarkophagdeckel. Einige Architekturfragmente (Säulenbruchstück u. A.) deuten auf ein grösseres römisches Gebäude.

„Gegen Tegare verengt sich das Thal der Drina; die Seiten werden steil, und ich fand erst im Petricko polje auf der Strasse Ruinen aus Ziegelmauerwerk, die von römischen Wohngebäuden herrühren dürften.

„Dort haben auch Bauern beim Ackern ungefähr 30 Cm. tief eine 3—4 M. breite Steinschichte gefunden, welche wahrscheinlich wieder einen Ueberrest der römischen Strasse darstellt.

„Ob sich nun die Strasse von Žljepae längs der Drina fortzieht oder gegenüber von Crviea in die Berge eintritt, ist schwer zu sagen. Erst bei Skelani fand ich die verlorene Spur. Unterhalb des Dorfes traf ich längs des Weges circa 20 Stück bis gegen 1 Quadratmeter grosse Bausteine, die gewiss zu einem stattlichen Bauwerke gehörten. Einer derselben trug eine römische Inschrift. Diese Steine bedecken sich nach jedem Regen mit Schlamm, so dass noch eine grosse Anzahl derselben unter der Erde ruhen dürfte. Nicht weit von hier fand ich die aufgedeckten Ueberreste einer römischen Mauer.

„Kaum 1 Km. von Skelani sieht man an einer erweiterten Thalstelle Reste einer römischen Ansiedelung.

„Ungefähr 50 Schritte südlich von der Gendarmeriekaserne fanden sich bei der Grundaushebung für das Haus des M. Gligić die Fundamente eines römischen Bauwerkes, ferner gegen 50 Stück gut erhaltene Mauerziegel und eine Menge Bruchstücke von Dachziegeln.

„Ungefähr 700 M. von diesem Bau beginnt an dem steilen Flussufer ein anderes Ruinenfeld von circa 10.000 Quadratmeter Umfang, besäet mit grasüberwachsenen Mauern, mit Ziegeln und anderen Bautrümmern.

„Die Strasse, die von Bratunac zu dieser Ansiedlung führte, konnte ich gleich hinter Skelani weiter verfolgen. Neben der Kaserne lag sie zunächst unbedeckt, nur hie und da mit Gras und Gestrüpp bewachsen.

„Sie ist, wie bei Han Bjelovac, 4 M. breit, an den Seiten mit grossen Steinen eingefasst, mit kleineren gepflastert und etwas gesattelt.

„Auch hier läuft sie in einer Entfernung von 300 M. parallel mit der Drina. Das unbedeckte Stück ist 600 M. lang, das eine Ende scheint zur Gewinnung von Baumaterial aufgegraben worden zu sein, das andere, gegen Dobraka, verliert sich im Humus und kommt hie und da in kleinen Entfernungen wieder zum Vorschein.

„Ich habe diese Spuren bis Gjurgjevac verfolgt, und erst hier verlor ich sie aus dem Auge.

„Es scheint, dass wegen der steilen Wände, die bei Klotijevac beginnen und das linke Drinaufer zu einem ungangbaren Defilée verengen, die Strasse zwischen Dobrak und Klotijevac den Fluss übersetzte, um von Banja an auf dem rechten Ufer, d. i. auf der serbischen Seite, weiterzuführen.

„Der nächste Punkt, wo sie sich fortsetzt, dürfte Mala Gostilja (bei Višegrad) sein, wo sich Grabmäler, Trümmer von Bauten und die bekannten Warmbäder gefunden haben. Was die weitere Richtung der Strasse anbelangt, so glaube ich nicht im Zweifel zu sein, dass Rogatica eine der nächsten Stationen nach Višegrad war, von wo dann weiter nach Westen das Sarajevskopolje erreicht wurde.“

Diesen Ausführungen TRUHELKA's wäre nur noch beizufügen, dass Berghauptmann RADIMSKY die Annahme bestreitet, dass die grosse Drinastrasse mit dem in

Gradina bei Srebrenica aufgedeckten Municipium Domavia nur durch einen Seitenpfad verbunden gewesen sei.[1]) RADIMSKY nimmt wegen der Bedeutung jenes Platzes,
wo die Römer Silberminen besessen haben, den Bestand einer Fahrstrasse an, von
welcher übrigens auch Reste vorgefunden wurden.

Diese Strasse zweigte beim Han Bjelovac von der grossen Drinastrasse ab
und führte durch das Sasebachthal zu dem genannten Bergwerksorte.

Was die von TRUHELKA vermuthete Fortsetzung der Drinathalstrasse von Višegrad über Rogatica nach Sarajevo betrifft, so mag hier zum Schlusse noch angeführt werden, dass kürzlich Spuren einer römischen Strasse nachgewiesen wurden,
welche von Rogatica südwestlich in der Richtung auf Prača führte. Dr. C. PATSCH
schreibt darüber in seinem „Bericht über eine Reise in Bosnien" (Archäologisch-
epigraphische Mittheilungen XV. S. 90): „In Rogatica machte mich der für die
Erforschung der in seinem Wirkungskreise befindlichen Alterthümer rastlos thätige
Bezirksvorsteher Herr GÉZA BARCSAY DE NAGY-BARCSA darauf aufmerksam, dass
sich südwestlich von dieser Stadt, jenseits des Matovobrdo bei Ladjevina Reste
einer vermuthlich römischen Brücke und Strasse befinden. Er selbst übernahm
die Führung der Excursion, an der auch der Commandant von Rogatica, Herr
Oberstlieutenant A. STRASSER, theilzunehmen die Liebenswürdigkeit hatte. Ueber
dem tief eingeschnittenen Bache, ungefähr an der Stelle, die in der Generalkarte
Z. 30. C. XX durch den Buchstaben *i* des Wortes Ladjevina fixirt wird, ging
eine Brücke. Auf dem linken Ufer ist noch ein Pfeiler erhalten; das Mauerwerk
besteht aus Bruchsteinen im Mörtelverband, die Deckplatten fehlen. Ausserdem
liegen sowohl im Bette des Baches, wie an dessen rechtem Ufer zahlreiche, von
der Brücke herrührende behauene Steine. Die Brücke stand nicht senkrecht
auf dem Bache, sondern lief schief über ihn und hatte eine Breite von 4 M.
Diese auf römische Wegeanlagen weisende Dimension und die Nähe einer höchst-
wahrscheinlich römischen Strasse spricht dafür, dass wir es hier mit einem römischen Bauwerke zu thun haben. In den Feldern von Ladjevina bemerkt man eine
sanfte, seitlich abgeböschte Bodenanschwellung, die, gerade verlaufend, sich in
ziemlicher Länge verfolgen lässt. Von uns an einigen Punkten angestellte Grabungen brachten geschlägelten Stein zum Vorschein, der untrüglich beweist, dass
hier eine Strasse angelegt war. Die Messung ihrer Breite ergab etwas über 4 M.
Herr v. BARCSAY versprach, seine Forschungen fortzusetzen, und es ist zu hoffen, dass
es ihm mit Unterstützung der Landesregierung gelingen wird, den ganzen Verlauf
der Strasse klarzustellen; sie scheint Rogatica mit Prača verbunden zu haben."

[1]) RADIMSKY: Die römische Stadt Domavia in Gradina bei Srebrenica und die dortigen Ausgrabungen.
„Glasnik", 1891, S. 1—49. Siehe auch „Glasnik", Jahrgang 1892, S. 1—24; RADIMSKY, Die Grabungen in
Domavia bei Srebrenica im Jahre 1891.

Schluss.

Mit den vorstehenden Mittheilungen sind die Ergebnisse der bisherigen Nach-
forschungen nach Römerstrassen in Bosnien und der Hercegovina erschöpft. Für
Westbosnien und die Hercegovina dürfte unsere Darstellung einigen Anspruch auf
Vollständigkeit erheben. Neben den Beiträgen zur römischen Topographie dieser
Gebiete gewinnen wir daraus auch Einblicke von allgemeinerem culturhistorischem
Interesse.

Der dauerhafte Charakter der römischen Strassen ist uns ein Zeugniss von
der Energie eines mächtigen Culturstaates.

Die grosse Zahl der Communicationen lehrt uns, dass Bosnien und die Hercegovina unter römischer Herrschaft besonders in ihren westlichen Theilen dicht
bewohnt gewesen sein müssen, und dass die Römer diese Länder für werthvoll
genug hielten, ihren Besitz durch die Anlage oder Besetzung einer geradezu staunens-
werthen grossen Zahl von Befestigungen zu sichern.

Eine Bestätigung hiefür liefern die bisherigen Ergebnisse der archäologischen
Forschung.

Trotz der kurzen Zeitspanne, in welcher die Aufsuchung römischer Denkmäler hierzulande betrieben wird, ist doch schon ein reiches, über das ganze Land
verbreitetes Materiale ans Licht gefördert worden, von welchem nur ein kleiner
Theil hier Erwähnung finden konnte.

Die Gebiete, in welchen wir das römische Strassennetz aufzudecken suchten,
gehören zumeist dem verrufenen Karste an. Die hie und da auftretende Ansicht,
dass der Karst zu jener Zeit noch eine unbekannte Erscheinung war, wird durch
die Thatsache des überaus zahlreichen Vorkommens der Spurrillen widerlegt.

Schon damals muss der Felsboden auf grosse Strecken blank gelegen haben,
sonst würden sich die Radspuren nicht so tief in denselben eingeschnitten haben.
Es soll damit nicht gesagt werden, dass, z. B. im Bezirk Zupanjac, der Wald-
bestand schon auf das heutige geringe Mass beschränkt gewesen sei. Es lebt vielmehr noch jetzt im Volke die Erinnerung daran, dass die das Duvnopolje gegen
Osten abschliessende Ljubuša planina einst von einem mächtigen Föhrenwald bedeckt war, der durch Feuer vernichtet wurde. Thatsächlich verlieren sich die

Radspuren auf der Höhe dieses Gebirges, allein statt des Waldes finden wir dort nur mehr Weideland.

Im Allgemeinen muss jedoch auch in römischer Zeit dem westlichen Theile Bosniens, insbesonders den Bezirken Livno und Županjac, der Charakter von Karstlandschaften eigen gewesen sein. Diese bergen aber in den grossen und ausgedehnten Kesselthälern kostbare Perlen des fruchtbarsten Ackerlandes, dessen Erträgniss unter dem Einflusse günstiger klimatischer Verhältnisse diese Poljes in römischer Zeit zu den Getreidekammern der Küstenstädte gemacht haben dürfte. Hier haben wir die Hauptsitze römischer Cultur im Binnenlande zu suchen. Mit der gegen Süden zunehmenden Üppigkeit und Vielfältigkeit der Vegetation steigerte sich naturgemäss die Zahl der menschlichen Wohnstätten, wie aus den gehäuften Fundstellen im südlichen Theile der Mostarer Ebene hervorgeht. Wo heute nur ärmliche Hütten stehen und selbst die öffentlichen Bauten den Charakter des absolut Nöthigen tragen, da schmückten in den ersten Jahrhunderten nach dem Beginn unserer Aera architektonische Werke von antiker Pracht und Gediegenheit die Landschaft und sahen auf dicht bevölkerte Gebiete herab.

Unter dem vernichtenden Schritte der Barbaren ging diese Glanzperiode Bosniens und der Hercegovina zu Ende.

Ein Jahrtausend später finden wir diese Länder wieder dicht bevölkert, wenn auch nicht zur hohen Stufe römischer Cultur emporgehoben.

Die zahlreich erhaltenen plumpen Grabsteine[1]) aus den letzten Jahrhunderten des Mittelalters (ein Beispiel dieses Vorkommens mag Figur 24 geben) sind die stummen Zeugen dieser jüngeren Periode der Vergangenheit.

An vielen Orten, so im Duvnopolje und in Blagaj bei Mostar, lebt noch heute im Volksmunde das Andenken an eine Zeit, in welcher die fruchtbaren Gefilde dicht mit Häusern und Ortschaften bedeckt waren; und bei einer Wanderung durch das Land stösst man fast Schritt für Schritt auf Trümmer jener christlichen Culturperiode, die im Liede und in der Tradition als eine Art von Heldenzeitalter gefeiert wird.

So scheinen mir die archäologischen Studien ausser dem wissenschaftlichen Stoffe auch noch den Beweis zu liefern, dass Bosnien und die Hercegovina die materiellen Bedingungen besitzen, um unter der Aegide eines mächtigen Staates zu reichen und werthvollen Provinzen heranzuwachsen.

Wer sich mit dem bosnisch-hercegovinischen Volke vertraut macht, findet bei demselben neben geringer Bildung doch ein erstaunliches Mass von historischem Sinn und einen solchen Grad von Intelligenz, der es fähig und werth zeigt, zu höheren Stufen menschlicher Cultur emporgehoben zu werden.

[1]) Nach Schätzung von Fachmännern beträgt die Zahl derselben im ganzen Lande 30,000—40,000.

Sofern die Ausbildung des Communicationswesens den Gradmesser für die culturelle Entwicklung eines Landes abgibt, lässt auch das auf unserer Karte ersichtliche Netz gänzlich neugeschaffener Communicationen erkennen, mit welchen Riesenschritten das Land in unseren Tagen seiner Wiedergeburt entgegengeführt wird.

Dieselbe Karte lehrt uns in dem Bilde des römischen Strassennetzes, dass auch in diesem Punkte das Niveau antiker Civilisation noch nicht ganz erreicht ist.

Sarajevo, im October 1892.

Verzeichniss

der

in Bosnien und der Hercegovina aufgefundenen Meilensteine.

Nummer des Meilensteines	Strasse	Fundort	In situ? [1]	Inschrift? [2]	Anmerkung
1	Salona— Servitium	Prolog	—	+	Bruchstück. Der Fundort konnte ermittelt werden.
2		Han Bulat	*	+	
3	Grab—Petrovac—Sanathal	1·5 Km. von 2, im Unacthale. Linkes Ufer	*	—	
4		1·5 Km. von 3, im Aufstiege vom Unacthale zur Orljevica	*	—	Bruchstück.
5		1·5 Km. von 4, neben dem Reitweg Unac—Petrovac	*	+	
6		3 Km. von 5, nahe dem Han Orljevica an dem Reitweg Unac—Petrovac	*	—	
7		3 Km. von 6, an dem Reitweg Unac—Petrovac		—	

[1] Die in situ gefundenen Meilensteine sind in dieser Rubrik mit einem Sterne bezeichnet.

[2] Die mit Inschrift versehenen Meilensteine sind in dieser Rubrik mit einem Kreuze bezeichnet.

Nummer des Meilensteines	Strasse	Fundort	In situ?	Inschrift?	Anmerkung
8		3 Km. von 7, an dem Reitweg Unac Petrovac	*	—	
9		In der Nähe der Localität Nikići bei Petrovac	--	-|-	Früher beim Konak in Petrovac, wurde auf seinem alten Stand-platze aufgestellt.
10	Strasse Petrovac	Circa 5 Km. von Petrovac, nahe der Strasse Petrovac—Ključ	*	—	
11		6 Km. von 10, nörd-lich von der Strasse Petrovac—Ključ		—	
12	Petrovac	Circa 1 Km. von der Gendarmeriekaserne Bravsko, nördlich von der Strasse Petrovac—Ključ	*	—	Bruchstück
13		1·5 Km. von 12, nörd-lich von der Strasse Petrovac—Ključ		+	
14	Grab Richtung gegen Ključ Saaskinost	Circa 1 Km. vom Han Gilšo	*	_|_	
15		An der Localität Prisjeka smailbeg		_|_	
16		Nahe beim Han Kokoros, südlich von der Strasse Petrovac—Ključ			Näheres über diesen Stein nicht bekannt.

Nummer des Meilensteines	Strasse	Fundort	In situ?	Inschrift?	Anmerkung
17	Grab Petrovac—Samathal	Circa 4 Km. von 16, südlich von der Strasse Petrovac—Kljnĕ	*	+	Bruchstück.
18		Friedhof in Risanovci	—	+	Bruchstück.
19			*	+	Bruchstücke.
20		Staretina planina	*	-	
21		Zwischen Halapić und Glavice		—	
22		Nächst Odžak am Wege von Glamoč über die Crnagora		—	Die Verwendung dieses Steines als Meilenstein ist sehr fraglich.
23		Am Wege nach Mliniste	*	+	
24		Localität Skakavac		—	Neben dem vorhandenen Meilenstein stand noch ein zweiter.
25		Unfern des Forsthauses in Mliniste am Reitwege von Glamoč über die Crnagora		—	
26		Circa 3 Km. von 25, am vorgenannten Reitwege			Bruchstücke, nicht weit von ihrem muthmasslichen ursprünglichen Standorte.

Nummer des Meilensteines	Strasse	Fundort	In situ?	Inschrift?	Anmerkung
27	Salona — Servitium	Circa 2 Km. von 26, am vorgenannten Reitwege	—	—	Bruchstücke, nicht weit von ihrem muthmasslichen ursprünglichen Standorte.
28	Salona—Narona	Bei der Ortschaft Nezdravica im Tihaljinathale		—	Bruchstück. Der Standort des Meilensteines konnte nach den Angaben der Ortsansässigen genau bestimmt werden.
29		In der Ortschaft Rašći im Tihaljinathale			
30		In der Nähe des Ortes Biača	—	+	Bruchstücke, Früherer Standort unbekannt.
31				+	
32	Narona—Sarajevskopolje			+	
33		Beisammen liegend, westlich vom Han Vitek im Trešanicathale		+	
34			—	+	Bruchstück.
35			—		
36	Narona Nevesinjskopolje	Bei der Bregavabrücke nächst Klepci	*	+	
37			—	+	Bruchstück
38		Ćetkovavodabach, westlich von Stepankrs		+	Bruchstück.
39	Sarajevskopolje—Drinathal	Zwischen Debelo brdo und Tisovac	*	6—7 Steine, 4 davon +	Alle Steine sind zerbrochen und umgestürzt.

Nummer des Meilensteines	Strasse	Fundort	In situ?	Inschrift?	Anmerkung
40		Bei Brkovina	*	6 Steine, 2 davon +	Alle Steine sind zerbrochen und umgestürzt.
41		Im Aufstiege zur Alajbegovina	*	--	Zwei Bruchstücke, unweit ihres ursprünglichen Standortes.
42		Nächst dem Hause des Maximović	...	--	Ein Bruchstück.
43		Bei der Quelle unterhalb Mitrovic	6—7 Steine, 2 davon +		Alle Steine sind zerbrochen und umgestürzt.
44		In Kiridžinski dol	6—7 Steine, 3 davon +		Ein Stein ganz, die übrigen Bruchstücke.
45		Im Kraljevopolje nächst der Lokva			Bruchstücke von beiläufig 3 Steinen, einer davon lässt den Absatz des Sockels erkennen.
46		Bei Lukavica	—	+	Ein Bruchstück.
47		Beim Han Obhodjaš	--	—	Bruchstück.
48	Salona Servitium	Am Prolog. Genauer Fundort unbekannt	—	+	Möglicherweise kein Meilenstein.
49		Travnik	* ?	—	Bruchstück.

Anhang.

—

Die epigraphischen Denkmäler der römischen Strassen in Bosnien und der Hercegovina.

Von

Dr. Carl Patsch.

Die Lesungen der nachfolgenden Steine beruhen auf sorgfältig ausgeführten Photographien und Gipsabgüssen, die das bosnisch-hercegovinische Landesmuseum nach Wien eingesandt hat; aus eigener Anschauung kenne ich nur die Meilensteine der Strasse Narona—Sarajevsko polje. Die Inschriften haben zum grössten Theile stark gelitten.

I. Strasse von Rastello di Grab über Risanovci—Unacthal—Petrovac ins Sanathal.

Nr. 18.[1])

VSIV
GERMANICV.
PONTMAXTRPOTVII
IMPXIIIICOSIVPP
5   CENSOR
XXXVI

Vgl. o. S. 13; nach Photographie und Gipsabguss. Die Lesung und Ergänzung ergibt sich aus Nr. 2. 5. 14.

[Ti. Claudius Caesar Aug[ustu]s] Germanicus pont(ifex) max(imus) tr(ibunicia) pot(estate) VII imp(erator) XIIII co(n)s(ul) IV p(ater) p(atriae) censor. XXXVI.

Nr. 2.

TIC   VS
CAESARAVGVS
GERMANICVS
PONTMAXTRPOTVII
5   I/? XIIIC // IIII //
//////
XXXXIII

Vergl. o. S. 13; nach Photographie und Gipsabguss.

[1]) Die Zahlen entsprechen den Bezeichnungen der Meilensteine durch Baurath Ballif.

Ti. C[laudi]us Caesar Augus[tus] Germanicus pont(ifex) max(imus) tr(ibunicia)
pot(estate) VII i[m]p(erator) XIIII c[o(n)s(ul)] IIII [p(ater) p(atriae) censor].
XXXXIII.

Nr. 5.

```
      /AESAR AVGVSTVS
      GERMANICVS
      ///TMAXTRIOTVII
      iPXiiICOSIIIIPP
   5    CENSOR
        XXXXVI
```

Vergl. o. S. 13: nach Photographie und Gipsabguss.

[Ti. Claudius C]aesar Augustus Germanicus [pon]t(ifex) max(imus) tr(ibunicia)
pot(estate) VII [i]mp(erator) XIIII co(n)s(ul) IIII p(ater) p(atriae) censor. XXXXVI.

Nr. 14.

```
      TIC / A / / / / / / /
      CAESARAVC /ESTVS
      GERMANIL / S
      PONTMAXTFPC / VII
   5  IMPXiiIC7/'' iP /
        CEN/OR
        LXIX
```

Vergl. o. S. 14: nach Photographie und Gipsabguss.

Ti. C[l]a[udius Drusi f(ilius)?] Caesar Aug[u]stus Germanic[u]s pont(ifex)
max(imus) tr(ibunicia) po[t(estate)] VII imp(erator) XIIII c[o(n)s(ul)] II[I]I p(ater)
[p(atriae)] cen[s]or. LXIX.

Die Strasse oder vielmehr, wenn Ballif S. 14 f. vorgetragene Hypothese richtig
ist, die Strassen wurden diesen Inschriften zufolge unter Kaiser Claudius, und
zwar, wie aus der Iterationszahl der tribunicia potestas hervorgeht, im Jahre 47/48
fertiggestellt. Sie ist nicht die einzige derartige Anlage unter Claudius in Dalmatien;
er liess auch die Strasse von Ragusa vecchia nach Trebinje ausführen.[1]

Claudius' Wegeanlagen sind eine Fortsetzung der von Tiberius mächtig geför-
derten Strassenbauthätigkeit, die, so viel wir bis jetzt sehen, die Mitte Dalmatiens
umfasste.[2]   Beide Kaiser sind aller Wahrscheinlichkeit nach als Verwirklicher

---

[1] Auf diese Strecke beziehen sich die von O. Hirschfeld für die Strasse Burnum—Sanathal in Anspruch genommenen Meilensteine C. I. L. III 10175 und 10176. Vgl. S. 57 u. S. 66, 67.

[2] Von Tiberius rührt auch die Donaustrasse in der Nachbarprovinz Moesia superior her C. I. L. III
1698; F. Kanitz, Römische Studien in Serbien (Denkschriften der kais. Akademie in Wien, Bd. XLI, 1892,
S. 31 ff.).

des bereits von Augustus aufgestellten und zum Theil auch ausgeführten Programms anzusehen.[1] Unter Gaius' kurzer Regierung scheint man sich mehr mit den Grenzregulirungen zwischen den einzelnen Stämmen beschäftigt zu haben;[2] auch unter dem letzten Herrscher aus der julisch-claudischen Dynastie dürfte nichts Erhebliches geleistet worden sein; vielleicht waren die wichtigsten Arbeiten bereits ausgeführt und der Reparatur noch nicht bedürftig. Neros Untüchtigkeit auch hierin zu erblicken, wäre wohl unrichtig; die von Augustus und seinem nächsten Nachfolger in Gang gesetzte Maschine arbeitete im Allgemeinen, ungestört durch die Vorgänge in Rom, ruhig weiter; der Statthalter unterrichtete sich über die Bedürfnisse der ihm anvertrauten Provinz und wird sie, wo es sich um solche untergeordneter Art handelte, aus eigener Machtvollkommenheit befriedigt haben. Eigene Initiative bei Strassenanlagen in Dalmatien ist nur Augustus und Tiberius zuzuschreiben, die das Land zur Zeit der Kriege persönlich kennen gelernt hatten und infolge dessen wussten, was ihm noththat.

II. Strasse Prolog—Halapić—Glavice—Crnagora—Pečka—Banjaluka.

Nr. 48.

FL/VIOV
ALIFIO
⌐⌐Ω U*TA*

Vergl. o. S. 18; nach Photographie und Gipsabguss. Aus dem Fragmente allein lässt sich nicht erkennen, ob die Inschrift Flavius Valerius Constantius oder dessen Sohne Flavius Valerius Constantinus gehört. Für ersteres spricht einigermassen, dass nach Nr. 38 (unten S. 66) unter Constantius eine andere Strasse in Dalmatien wiederhergestellt ist.

Nr. 1.

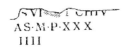

AS·M·P·X X X
IIII

Vergl. o. S. 18: C. I. L. III 10168 mit Weglassung der Z. 1; nach Photographie und Gipsabguss.

. . . a S(alonis) m(ilia) p(assuum) XXXIIII.

---

[1] Siehe unten S. 55.

[2] C. I. L. III 2882, 8472 (vgl. 8473), 9832, 9861 a; vergl. Hirschfeld S. 1475.

- 55 -

Nr. 19.

```
//// A E S
//// F O N I V S
///// ·NVS
/// ·FELIX///
//// OTH /////
      P R COS
      ·I IO
```

```
/ O N O R A T O
/ EG·AVC·PR·PR
      A S
      M L I
```

Vergl. o. S. 19.

Imp(erator) C]aes(ar) [M. An]tonius [Gordi]anus [Pin]s Felix [Aug(ustus) tr(ibunicia) p]ot(estate) II].... co(n)s(ul) ....] pr(o)co(n)s(ul) [cur(ante)].... io [H]onorato [l]eg Aug(usti) pr(o) pr(aetore). A S(alonis) m(ilia) LI.

Nr. 23.

```
C V I
HONORATOCL
LECAVGI·KFR
      M·P
      M L X V
```

Vergl. o. S. 19; nach Photographie und Gipsabguss.

cur(ante?) ... [H]onorato cl(arissimo) [c(iro)] leg(ato) Aug(usti) pr(o) pr(aetore). m(ilia) p(assuum) m(ilia) LXV.

Es unterliegt keinem Zweifel, dass diese Strasse sowohl wie die nachfolgende über den Prolog nach Kupres und die oben unter Nr. 6 beschriebene identisch sind mit drei der auf Befehl des Tiberius von dem legatus Augusti pro praetore P. Cornelius Dolabella von Salonae aus nach Bosnien gebauten Strassen;[1]) mit welcher von ihnen lässt sich freilich nicht feststellen, da wir die Endpunkte derselben noch nicht zu fixiren vermögen. Als Vermuthung sei ausgesprochen, dass diese Strassen wohl von Tiberius zu Ende geführt, unter Augustus aber bereits tracirt und zum Theil auch schon ins Werk gesetzt sein werden; denn die Absicht, die man mit diesen Bauten unter Tiberius verfolgte, die Pacificierung der Stämme im Inneren der Provinz herbeizuführen und zu verhindern, dass ähnliche Reactionen der epichorischen Bevölkerung gegen die römische Herrschaft, wie sie die gefahrvollen Jahre 6—9 n. Chr. gezeitigt hatten, wiedereintreten, wird unter Augustus

[1]) Vergl. C. I. L. III S. 406 f. 1651 f. und Mommsen's Ausführungen S. 107.

nach Niederwerfung der Insurrection noch lebhafter gewesen sein als unter Tiberius, nachdem einige Jahre der Ruhe verstrichen waren. Ferner sind diese langen, bis an die Grenzen von Dalmatien geleiteten Strassen bereits in den ersten Jahren des Tiberius fertiggestellt (C. I. L. III 3198 im Jahre 16/17, 3199 vor 18, 3201 19/20 n. Chr.): die Schwierigkeiten, die das Karstterrain verursacht, lassen jedoch auf eine längere Arbeitsdauer schliessen. Schliesslich wurde im Narentathale, also auf einer Strecke, die ohne Zweifel schon in vorrömischer Zeit zur Verbindung des Hinterlandes mit der Küste diente und nach dem Jahre 9 zuerst in Angriff genommen sein wird, die unten S. 64 veröffentlichte Inschrift: *Divo Aug(usto)* gefunden, die wir dem ersten Kaiser werden zuschreiben dürfen; in Narona, dem Ausgangspunkte der Narentastrasse, kamen ähnliche Inschriften des Augustus zum Vorschein: C. I. L. III 1769: *Aug(usto) sacr(um) C. Iulius Macrini lib(ertus) Martialis (sex)vir m(agister?) M(ercurialis?) ob honor(em)* . . . 1770: *Divo Aug(usto) sacr(um)* . . . Zur ersten bemerkt Mommsen: Crediderim scriptam vivo etiamtum Augusto. Domaszewski schreibt die Strasse von Lissus (Alessio an der Adria) nach Naissus (Niš in Serbien) ebenfalls bereits Augustus zu.[1]

Die Strasse Prolog—Banjaluka wurde den mitgetheilten Inschriften zufolge unter Gordian von dem bisher unbekannten Statthalter Honoratus gebaut und vielleicht zu Anfang des vierten Jahrhunderts unter Constantius wieder in Stand gesetzt.

Ara

```
        I · O · M
      C·IVL·ROG
      TVS·BE·COS
      LEG·XICLAⱯ/
5     C·IVL·ROGATⱯ
       IVNIOR
      V·LIBEN·P
```

Vergl. o. S. 19; Glasnik I S. 91 n. 2: C. I. L. III 9862: nach einer Photographie.

I(ovi) o(ptimo) m(aximo) C. Iul(ius) Rogatus be(neficiarius) co(n)s(ularis) leg(ionis) XI Clau(diae) e[t] C. Iul(ius) Rogatus iunior v(otum) liben(tes) p(osuerunt).

Unter dem consularis ist ohne Zweifel der Legat von Dalmatien zu verstehen (vergl. Mommsen, C. I. L. III S. 283, A. v. Domaszewski, Rhein. Museum, 1890, S. 211, dagegen O. Hirschfeld, ebenda S. 1476). Die Inschrift fällt, wie das Cognomen der Legion beweist, in die Zeit nach 42 n. Chr. und dürfte vor das Jahr 70. d. i. den Zeitpunkt, in welchem das Regiment nach Germania superior transferirt wurde, anzusetzen sein; die Zeit der Stationirung der Legion in Moesia inferior kommt wohl nicht in Betracht.

---

[1] Archäologisch-epigraphische Mittheilungen XIII (1890), S. 151.

Durch diese Inschrift erfährt unsere Kenntniss des militärischen Bureaus des Statthalters von Dalmatien eine abermalige Bereicherung. Bisher waren folgende von den Truppen zum Dienste beim Legaten abcommandirte principales bekannt:

beneficiarii
legio I adiutrix

C. I. L. III 1907 (Novae): *C. Atilius Gen . . . mil. leg. XIII [ge]m. leg. I ad. . . . b. cos.*

1909 (Novae): *Caecilius [S]aturninus b. f. cos. leg. I ad. p. f.* (194 n. Chr.)

1910 (Novae): *C. Vib. Pom. I[a]nu[a]rius b. f. cos. leg. I adi.*

3161 (in museo Nanio): *M. Cornelius Maximus b. f. cos. leg. I adi. p. f.* (245 n. Chr.).

legio I Italica

C. I. L. III 1781 (Narona): *[M.] Ul[p.] Kalendinus b. [f.] cos. leg. [I] Ital.* (225 n. Chr.)

1906 (Novae): *T. Fl. Sab[inus] b. [f.] cos. l[eg. I] Ital.*

2023 (Salonae): *Aelius Martinus b. f. cos. leg. I Ital.*

legio X gemina

C. I. L. III 2677 (Tragurium): *. . . L. Titulenio L. f. Respecto vet. b. f. leg. X gem.*

8745 (Salonae): *C. Julius Dolens veter. leg. X gem. ex b. f. cos.*

legio XI Claudia pia fidelis

C. I. L. III 8727 (Salonae): *?[Aure]lius Alexander b(e)n(e)[f(iciarius)]? legio[nis] XI Claudie.*

9790 (Kljake bei Municipium Magnum): *C. Aemilius Ingenuus miles leg. XI C. l. b. f. cos.*

legio XIIII gemina

C. I. L. III 1780 (Narona): *G. Statius Tacitianus b. f. cos. leg. XIIII g.* (209 n. Chr.)

1911 (Novae): *Acutianus b. f. leg. XIIII gem. Gordian.* (239 n. Chr.).

8431 (Stolac): *. . Ael. Firminus b. f. cos. leg. XIIII g.*

8435 (Stolac): *Sextus Caes[a]rius Romanus b. f. cos. leg. XIIII g.*

10050 (Avendo): *Jul. Sextilius b. cos. [? e]x leg. XIIII gem.*

cohors VIII voluntariorum civium Romanorum

Unpublicirt, von L. Jelić und P. Sticotti gef. in Doclea: *I. o. m. Epone regin. Genio loci P. Bennius Egregius mil. coh. vol., adiu(tor) [p]rinc(ipis). b. f. cos. v. s.*

C. I. L. III 8743 (Salonae): *? [o]p. Grafto b. [f.] cos. leg. . . .*

8749 (Salonae): *. . . rius b. f. . . .*

commentarienses
legio XIIII gemina

C. I. L. III 2015 (Salonae): *Tib. Cl. Januario spec(ulatori) leg. XIIII g., comm. cos. proc. Delm.*[1]

[1] A. v. Domaszewski, Rhein. Museum. 1890, S. 211.

Ballif, Romische Strassen in Bosnien und der Hercegovina 8

63

cornicularii

legio I adiutrix

C. I. L. III 8752 (Salonae): *Salonius Sabinianus vet. ex cornic. cos. leg. I adi.* (vielleicht christlich).

legio XI Claudia p. f.

C. I. L. III 8738 (Salonae): *Cos]cmio . . . ino . . . [l]eg. XI[. . .? cornife. cos.*

9908 (Knin bei Burnum): *. . . mil.] leg. XI . . . [tessferar. cornifculario] leg. Aug. . . .*

C. I. L. III 8750 (Salonae): *. . . cor]nicul. cos. . . .*

adiutor cornicularii

cohors VIII voluntariorum c. R.

C. I. L. III 2052 (Salonae): *T. Statilio Maximo mil. coh. VIII vol., adi. corn. cos.*

singulares

C. I. L. III 8725 (Salonae): *L. Attius R. . . . ex sing. c[os . . .*

stratores

cohors I Belgarum equitata

C. I. L. III 2067 (Salonae): *Til. Pulcher mil. coh. I Belg., ex strat. cos.*

Wie man aus diesem Verzeichnisse ersieht, wurden die Unterofficiere sowohl den Legionen wie auch den Auxiliartruppen entnommen. Die Cohorten I Belgarum und VIII voluntariorum standen Jahrhunderte lang im Lande; die legio XI war nur bis zum Jahre 70 n. Chr. in Dalmatien stationirt, sie wurde nach Germania superior und schliesslich nach Moesia inferior verlegt; die in Moesia inferior garnisonirende legio I Italica war, wie MOMMSEN C. I. L. III S. 283 wohl mit vollem Rechte vermuthet hat, im dritten Jahrhundert durch eine Vexillation in Salonae vertreten; die Legionen X gemina und XIIII gemina gehörten dem Heere von Pannonia superior an; die legio I adiutrix war bis auf Caracalla oberpannonisch, seit diesem Kaiser unterstand sie dem Legaten von Pannonia inferior.[1] Der Statthalter von Dalmatien hat also seine officiales den von ihm commandirten Truppen (der legio XI, legio VII [bisher allerdings unbezeugt] und der Vexillation der I Italica und den Auxiliartruppen) entnommen; zu Zeiten aber, wo keine Legionssoldaten in Dalmatien waren, von Pannonia superior und Pannonia inferior[2] erhalten.[3] Diese militärische Verbindung Dalmatiens mit Pannonien, die sich auch

---

[1] A. v. DOMASZEWSKI, Rhein. Museum. 1890, S. 207 f.

[2] Vergl. n. 3161 aus dem Jahre 245.

[3] Das letztere auch von Moesia inferior anzunehmen liegt kein Grund vor. Die in dieser Provinz stationirten Legionen I Italica und XI Claudia waren auch eine Zeitlang in Dalmatien; die in Dalmatien gefundenen Inschriften können daher ganz gut dieser Zeit angehören. Es wäre auch befremdend, dass Moesia inferior Soldaten gestellt haben sollte, während die Nachbarprovinz Moesia superior nicht vertreten ist: der Grund, den man für die legio XI anführen könnte, nämlich den ihrer alten Verbindung mit Dalmatien, liesse sich auch für die in Viminacium stehende legio VII Cl. namhaft machen.

darin äussert, dass Centurionen pannonischer Legionen Commandanten dalmatinischer Auxiliarcohorten wurden.[1]) erinnert an die Zeit, da beide Landschaften zusammen eine Provinz gebildet haben.

Unter den Inschriften der Auxiliarsoldaten verdient der Stein von Doclea Beachtung, bisher war ein einer Auxiliarcohorte entnommener beneficiarius nur aus einer afrikanischen Inschrift C. I. L. VIII 2226[2]) belegbar: *L. Octavius Felix dec. coh. Hispanor. ex. b(eneficiario) le(gati).*

Wenn wir die Fundorte der Inschriften ins Auge fassen, so ergibt sich, dass jene des commentariensis, der cornicularii, des adintor cornicularii, des singularis mit der einzigen Ausnahme des cornicularius n. 9908, die in Knin zum Vorschein kam,[3]) sämmtlich in Salonae, also dem Sitze des Statthalters, gefunden wurden: von den 19 Inschriften der beneficiarii stammen dagegen nur 5 aus Salonae; es wird dadurch aufs Neue bestätigt die schon wiederholt gemachte Beobachtung, dass die „Gefreiten" auch ausserhalb der Hauptstadt verwendet wurden.[4]) Stationen derselben lassen sich aus der Zahl der Inschriften sicher constatiren in Narona (1780, 1781), Novae (1906, 1907, 1909—1911) und Stolac (8431, 8435); in Kljake bei Municipium magnum und in Avendo-Crkvinje wurde nur je eine Weihinschrift (9790, 10050) gefunden; für Tragurium beweist die Veteraneninschrift 2677 nichts.[5]) Nach MOMMSEN[6]) sind Funde von Inschriften der beneficiarii Anzeichen, dass an dem betreffenden Orte eine Truppenabtheilung, deren Commandant der beneficiarius war, in Garnison lag.

Ara

I · O · M
AEL·TITV&
EXPROTEC
TORE
V·L·S·

Vergl. o. S. 19; Glasnik I S. 91 n. 1; C. I. L. III 2760 a   9861; nach einer Photographie.

Die Lesung ist sicher (MOMMSEN, protectores Augusti E. E. V S. 129: „modo lectio vera sit"). *I(ovi) o(ptimo) m(aximo) Ael(ius) Titus ex protectore v(otum) l(ibens) s(olvit).*

Ausser unserer sind in Dalmatien Protectoreninschriften zum Vorschein gekommen in Salonae (C. I. L. III 8741, 8742), im Gebiete dieser Stadt (C. III 8571), in Narona (C. III 1805), Teplju (9835), Curictae (3126).

---

[1]) Vergl. C. I. L. III 8484 (Humac); MOMMSEN, C. I. L. III S. 285.

[2]) Vergl. P. CYCER, E. E. IV S. 385. MOMMSEN, ebenda Anm. 1.

[3]) Diese Ausnahme erklärt sich daraus, dass im nahen Burnum die Legion, der der cornicularius angehörte, ihr Hauptquartier hatte.

[4]) MOMMSEN, E. E. IV S. 530, 533.

[5]) MOMMSEN, C. I. L. III S. 282.

[6]) E. E. IV S. 529 f.

III. Strasse Prolog—Livno—Šuica—Kupreš.

Bruchstück einer Platte. der obere Rand erhalten; gefunden bei Otinovci.

D   M

AVRLICINIAN

SIBIE

Vergl. o. S. 22; C. I. L. III 2763; nach einer Photographie.
D(is) M(anibus) Aur(elius) Licinian[us] vivus sibi et [suis? ...

Der untere Theil einer Platte; gefunden bei Otinovci.

MORIAM L

Vergl. o. S. 22; nach einer Photographie.
... m[emoriam fe]cit.

Ein allseits abgebrochenes Fragment einer Platte; gefunden bei Otinovci.

PRIM   *f-*
ETDE *f-*
C·AN *n[orum*
STV *p(endiorum)?*

Vergl. o. S. 22; nach einer Photographie.

Bruchstück einer Grabplatte, möglicherweise zum Vorhergehenden gehörig: gefunden bei Otinovci.

E I
V
I I

Vergl. o. S. 22; nach einer Photographie.

V. Strasse vom Kruprešer Feld ins Plivathal.

FFLICAPOI I INARIETHONC RIOFILIISCARISSI

ETFRONTINOFRATRIETMAXIMEMATRI

Vergl. o. S. 25, Figur 15; Glasnik. IV (1892), S. 319, Figur 5; nach einer Photographie.
Fl(aciis) Apollinari et Honorio filiis carissi[mis] et Frontino fratri et Maxi-m(a)e matri ...

Dieses Familiengrab wird den Buchstabenformen und dem Gentilnamen nach etwa dem vierten Jahrhundert zuzuschreiben sein.

VII. Weitere Strassen im Duvnopolje.

Bruchstück einer Grabstele, oben abgebrochen, rechts und links von dem mehrfach umrahmten Inschriftfelde Blatt- und Rosettenornament; unregelmässige Buchstaben; gefunden bei Boréani.

O R I N I I
F·PIENTISSI

Vergl. o. S. 28; nach einer Photographie.

. . . *Victori [mat(er)?] f(ilio) pientissi(mo).*

Grabplatte, in der Mitte gebrochen; über dem 0·36 M. hohen und 0·32 M. breiten Inschriftfelde ein Relief; vergl. Fig. 17.

D M·S E VEROINF
ELICIS SIMO O   sic
VIDEC DTIZPAN   sic
NONIA C V M D V
5   ORVSF ILIISMISA   sic
VCISW RRONIA
NVSL ATA PAT   sic
RONIS BEIVER
IIIS·DO S V I T   sic

Vergl. o. S. 28, C. I. L. III 9740; nach einer Photographie. Die Inschrift weist einige Versehen des Steinmetzen auf: Zeile 2 O statt Q; Zeile 3 fehlt in decidit das zweite I, in IN ist das N verkehrt; Zeile 5 DVORVS für DVOBVS; Zeile 7 I statt T in tata; Zeile 9 fehlt der Querstrich des T in meritis; B steht für P, hier stand ursprünglich ein D, der Arbeiter merkte den Fehler, fügte einen Querstrich ein und füllte vielleicht den unteren Theil des Ð mit Kalk aus.

D(is) M(anibus). Severo infelicissimo [q]ui decid(i)t in Pannonia cum duo[b]us filiis Misancis Varronianus [t]ata patronis be(ne)[m]eri[t]is [p]osuit.

Bemerkenswerth ist der Name Misancus, welchen beide Söhne des Severus führen; er ist auch noch durch eine in Neuburg an der Donau (Rätien) gefundene Inschrift bezeugt: C. I. L. III 5891: . . . *et Victori Misanco filio, qui vixit annos VII.* Derselbe Stamm liegt vor im Namen Misaus; vergl. C. I. L. IX 3892 (gefunden am Fucinersee: *Véró Misai f. miles ex clas. Raven. stip. XII vix. a. XXX h. s. e.* Beide sind wohl illyrisch; sowohl der Neuburger Stein wie die italienische Inschrift dürften Dalmatinern angehören; für die Ansässigkeit von Dalmatinern in Vindelicien bietet C. I. L. III 5913 (aus Pföring) einen Beleg: *D. M. Pempte nat(ione) Dalmata vix. an. XXV;* dass Dalmatiner in der classis praetoria Ravennas gedient haben, bedarf keines Nachweises.

Zwei zusammengehörige Bruchstücke einer oben abgebrochenen Platte; gefunden bei Proslap.

```
          VLPIⅯ
          LINAI
          CARISSIMⅯ
          DEFVN/TAE
     5     ANNORVMLII
          SEVIVOSIBI
          LIBERISQVE
```

Vergl. o. S. 28; nach einer Photographie.

. . . *Ulpiae [? Pau]linae [con(iugi)] carissimae defun[c]tae annorum LII se vivo sibi liberisque.*

Con(iugi) ist in Z. 2 ergänzt worden in Anbetracht des hohen Alters der Verstorbenen und der Nennung der Kinder in Z. 7; der Name des Stifters stand zu Beginn der Inschrift.

IX. Strasse Salonae—Narona.

29.

XLIII

Vergl. o. S. 32; nach einer Photographie.

30.

```
          NOAC
          ɅNO
          ITⅠERP
          ICC
```

Vergl. o. S. 32; nach Photographie und Gipsabguss; bei diesem Steine ist eine Vergleichung mit dem Original nöthig. In den letzten Zeilen kann an *perp[etuis A]ug(ustis)* gedacht werden.

31.

```
          ORB     is Aug. bo
          NORE    i publi
          CAE
```

Vergl. o. S. 32; nach Photographie und Gipsabguss. Die Ergänzung der Inschrift ergibt sich aus den ziemlich zahlreichen Steinen des Kaisers Julian in Dalmatien: C. I. L. III 3208, 3209, 3211; insbesondere kommt hier in Betracht III 3207: *D.[n. Juliano victori ac triunfatori totiusque orbis Aug(usto) bono rei publicae;* dieser Meilenstein befindet sich in Narona, also in der Endstation dieser Strasse und dem Ausgangspunkte der Strasse Narona—Nevesinjsko polje, die ebenfalls von Julian wieder hergestellt wurde, s. u. S. 66, Nr. 37.

D(omino) n(ostro) Juliano victori ac triumfatori totiusque] orb[is Aug(usto) bo]-
no re[ipubli]cae.

Auf diese Strasse beziehen sich noch die beiden im C. I. L. publicirten Steine:

C. I. L. III 6433: „columna rep. prope Viteline s. Vitaljina hora dimidia a
Humac meridiem versus:

inscriptio antiquior:	inscriptio recentior:
II CAES	IMP CAES
ET ANN	M·AVR
CAES	PROBO
R ROMAN	P·F·INVIC
	s

und C. I. L III 10167: columnam miliariam c. a. 1870 in via Romana a Narona
Salonas ducente ad Tihaljinam sive Neždrovicam (inter Humac et Imoski in valle
Trebižatis sive Mlada fluvii) repertam, sed statim deletam esse sacerdos narravit
Hoerneso (Mittheilungen IV, S. 42).

Die Strasse wurde also wiederholt reparirt, sicher vor Probus, unter diesem
Kaiser (276—282) und unter Julian (361—363). Es unterliegt aber keinem Zweifel,
dass die Erbauung der Strasse, die zwei so bedeutende Städte verband, bereits
in der frühesten Zeit der römischen Herrschaft, die gerade an diesen beiden Punkten
bald feste Wurzeln gefasst hatte, gebaut wurde, gerade so wie die Strasse Salonae—
Jader;[1] auf eine frühe Zeit weist auch die gut gemeisselte Zahl von Nr. 29 hin.

Platte, rechts oben beschädigt, Zeilen vorgerissen.

```
    D ' M
    N I I S S A C
    A V G V S T O
    R V S · P I N · M I
  5 K E S · C O · P R I M ·
    B E K · I M M V N I S
    K I B E N S · M E R I T O
         POSVIT
```

Vergl. o. S. 32; nach einer Photographie.

. . . . *Pin(nes) miles co(hortis) prim(ae) Bel(gorum) immunis libens merito posuit.*
Pinnes ist ein ziemlich häufig vorkommender illyrischer Name, aus dem auch
das römische Gentilnomen Pinnius gebildet wurde (vergl. den Arch.-epigr. Mittheilungen XVI. S. 84 veröffentlichten und hier unter Figur 20 zur Controle der
dort versuchten Lesung in Z. 2 abgebildeten Stein aus Glavatičevo.

[1] Vergl. MOMMSEN C. I. L. III S. 407: Hoc apparet quo tempore Dolabella . . . vias quas diximus
quinque et fortasse alias praeterea aperuit, dudum extitisse viam primariam maritimam Salonis Iader et
Salonis Naronam . . .

Die Cohors I Belgarum equitata,[1]) in der Pinnes diente, bildete lange einen Theil des exercitus von Dalmatien, wo sie zahlreiche Inschriften hinterlassen hat.[2]) Im Jahre 173 bildete sie die Garnison von Humac: C. I. L. III 8484: *templum Liberi patris et Liberae vetustate dilabsum restituit coh. I Belg. adiectis porticibus curam agente Fl. Victore (centurione) leg. I ad. p. f. Severo et Pompeiano II cos.* Derselben Zeit wird unser in der Nähe von Humac gefundene Stein angehören; er ist sicher gesetzt nach der Einführung der örtlichen Conscription. Ueber die immunes vergl. P. F. Cauer: De muneribus militaribus centurionatu inferioribus E. E. IV, S. 409 ff.

X. Strasse von Narona im Narentathale aufwärts bis in die Ebene von Sarajevo.

32.

Meilenstein, jetzt in der Hofhalle des Landesmuseums in Sarajevo, Höhe 1·16, Durchmesser 0·29.

DIVO
AVG

Vergl. o. S. 33; C. I. L. III 10164; Archäologisch-epigraphische Mittheilungen XVI (1893), S. 82.

Divo Aug(usto).

33.

Meilenstein, jetzt ebenda; Höhe 2·3, Durchmesser 0·26; rohe Buchstaben.

IMPCIVL
MAXIMING sic
PIOFELICIEICIV sic
VEROMAXIMѲ
5 NOBILISSIMI sic
CAESAVGG

C. I. L. III 10165; A. E. M. XVI S. 83.

Die Hasta in Z. 2 zwischen M und A ist ein Versehen des Steinmetzen; Z. 3 EI sicher; Z. 5 nicht NOBILISSIMO.

Imp(eratori) C. Jul(io) Maximino Pio Felici e[t] C. Jul[(io)] Vero Maximo nobilissim[o] Caes(ari) Aug(ustis).

[1]) Vergl. C. I. L. III 8762 (dazu J. W. Kubitschek, Archäol.-epigraph. Mitth. XVI, S. 110 f.) *C. Val. [C.] f. Aelius Proc[us] eques coh. I [C.]p. ve[x.] equit. . . . I Belg. dec. equit. coh. eiusdem . . .* Aller Wahrscheinlichkeit nach ist der hier genannte decurio identisch mit dem Commandanten der turma in 9739 . . . *. . . vus Platoris [D.]ositius vexill. [e]quit. coh. I Belgar. turma Valeri Proculi . . .*

[2]) C. I. L. III 1790 — 6362 — 8181. 1918. 2067. 2744. 3096. 3162 b. 8376 b. 8437. 8756. 8762. 9739.

34.

Meilenstein, jetzt ebenda; Höhe 2·23; Durchmesser 0·36.

    I. P CA E
    S·M·I VKI
    OPHKIPP
    OP F·AVG

C. I. L. III 10166; A. E. M. XVI, S. 85.

Imp(eratori) Caes(ari) M. Iulio Philippo P(io) F(elici) Aug(usto).

Es ist oben S. 56 versucht worden, nachzuweisen, dass diese Strasse bereits unter Augustus gebaut wurde und somit zu den ältesten Verkehrsanlagen der Römer im Inneren der dalmatinischen Provinz zählt.

Während wir das ganze erste und zweite Jahrhundert nichts von ihr hören, erfahren wir aus den beiden oben unter Nr. 33 und 34 mitgetheilten Inschriften, dass zum Schlusse der ersten Hälfte des dritten Jahrhunderts binnen Kurzem zweimal an der Strasse gearbeitet wurde: unter Kaiser Maximinus, der von März 235 bis Juli 238 regierte, und unter dessen zweitem Nachfolger Philippus (Anfang 244 bis Sommer oder Herbst 249). Bei so rasch aufeinander folgenden Nachrichten frägt es sich, waren die Restaurirungsarbeiten unter Maximin so schlecht ausgeführt worden, dass einige Jahre später unter Philipp abermals Nachbesserungen vorgenommen werden mussten, oder waren sie unter Maximin nur bis Konjica, wo die drei Meilensteine gefunden wurden, gediehen und sind nach einer mehrjährigen Unterbrechung unter Gordian von Philipp von Konjica gegen Sarajevo zu weitergeführt worden? Wenn wir die Beobachtungen, die wir an der Strasse Sarajevsko polje—Drinathal machen werden, auf die in Rede stehende anwenden dürfen, so scheint das erstere der Fall gewesen zu sein. Vielleicht werden uns Funde, die beide Kaiser auch jenseits Konjica oder Maximin auch nach diesem Orte nennen, darüber einmal sicherere Aufklärung verschaffen.

XI. Strasse Narona—Nevesinjsko polje.

35.

    GAL·VAL·
    MAXIMIN
    ONOB CÆS·

Vergl. o. S. 36; nach Photographie und Gipsabguss.

Gal(erio) Val(erio) Maximino nob(ilissimo) Caes(ari).

Maximinus ist zum Cäsar am 1. Mai 305 erhoben worden, den Augustustitel nahm er „wahrscheinlich nach 307"[1]) an, die Inschrift fällt in die Zwischenzeit.

[1]) H. Schiller, Geschichte der römischen Kaiserzeit II, S. 182, Anm. 1.
Ballif. Römische Strassen in Bosnien und der Hercegovina.   9

37.

```
DNIVLIANO
VI· TORIACTRI
V / FATORITOTI
VS·QVEORBISAVG
   BONOREIPV
   BLICAE
```

Vergl. o. S. 36; nach Photographie und Gipsabguss.

D(omino) n(ostro) Juliano victori ac triu[m]fatori totiusque orbis Aug(usto) bono reipublicae.

Ueber den Gebrauch des f statt ph in triumfator Z. 3 vergl. Mommsen: Die Wiedergabe des griechischen Φ in lateinischer Schrift, Hermes XIV S. 73 f.

38.

```
ᴸ D N N I M P
  FLAVIOVAᴸRI
D/   OCONSTANTIO
M N    PFAVG
  NBAEA ETFLAV VALE
IMOCAEℜ IO SEVERO
      NOBCAE/
```

Vergl. o. S. 36; nach einer Photographie und Gipsabguss.

Der Meilenstein ist zweimal beschrieben worden.

a) *D(ominis) n(ostris) imp(eratori) Flavio Valerio Constantio P(io) F(elici) Aug(usto) et Flav(io) Valerio Severo nob(ilissimo) Caes(ari).*

Die Inschrift stammt aus der Zeit nach der Erhebung des Severus zum Cäsar und vor dem Tode des Constantius Chlorus, d. i. aus der Zeit nach dem 1. Mai 305 und vor dem 25. Juli 306. Derselben Zeit wird die obige Inschrift des Maximinus Daia angehören, da er, dem der Orient zugewiesen worden war, Strassen in Dalmatien nicht selbst wieder herstellen liess, sondern bei den Strassenbauten des Constantius Chlorus (der auch eine Zeitlang Statthalter von Dalmatien gewesen war) nur als Theilnehmer an der Gesammtherrschaft genannt wird.

Aus der zweiten Inschrift *(b)* habe ich nur das *baca[tiss]imo Caes(ari)* am Schluss erkennen können.

Die Erwähnung der jedenfalls schon sehr lange vorher angelegten Strasse fällt, wie man sieht, in eine späte Zeit; sie wurde vor dem Tode Constantius I. unter Julian (361—363) ausgebessert.

XII. Strasse von Ragusa vecchia nach Trebinje.

Auf diese Strasse beziehen sich die beiden von Evans veröffentlichten Meilensteine C. I. L. III 10175 (gefunden im Passe Lucindo bei Mokropolje) und 10176 (gefunden in Mokropolje);[1]) der erste rührt von Kaiser Claudius her: *Ti. Claud[ius Dru]si fil(ius) Caesa[r Aug(ustus) Ger]manic(us) pont(ifex) m[ax(imus) tr(ibunicia) p(otestate) VII imp(erator) XIIII] co(n)[s(ul) IIII p(ater) p(atriae) cen]s(or);* der zweite stark beschädigte gehört dem vierten Jahrhundert an; Evans schreibt ihn den Kaisern Valentinian und Valens zu. Darnach wurde die Strasse unter Claudius im Jahre 47/48 fertiggestellt und im vierten Jahrhundert ausgebessert. Dass die Strasse in der Zwischenzeit vernachlässigt worden wäre, darf man bei der grossen Bauthätigkeit des dritten Jahrhunderts in Dalmatien ex silentio nicht erschliessen, das Fehlen anderer Meilensteine wird nur dem Zufall zuzuschreiben sein; Epidaurums, der Kopfstation der Strasse, Wohlstand wird ja auf guter Verbindung mit dem Hinterlande beruht haben.

XIII. Strasse aus dem Sarajevsko polje über die Romanja planina ins Drinathal.

Nr. 39.

```
I P M /  ⎫
PIILAV ⎬
```

Vergl. o. S. 39; nach Photographie und Gipsabguss.

Die erste Hasta in der ersten Zeile ist schwer einem Buchstaben zuzuweisen, es lassen sich neben ihr die übrigen Striche des M nicht erkennen; sie für i zu halten, hindert der dann für das nachfolgende M übrigbleibende geringe Raum.

Im[p(eratori) M. [Jul(io)] Phil(ippo) Au[g(usto)].

Nr. 39.

```
I M P /
AESVOI
VSIA
NOAVg
```

Vergl. o. S. 39; nach Photographie und Gipsabguss.

Imp(eratori) [C]aes(ari) Volusiano Aug(usto).

G. Vibius Afinius Gallus Veldumnianus Volusianus ist der Sohn des Kaisers Gallus und seit dem Ende des Jahres 251 Augustus, Ende 253 fand er mit seinem Vater den Tod. Auch Gallus' Name stand ohne Zweifel auf einem Steine der Gruppe.

Nr. 39.

```
E R
OIN

O AVG
```

Vergl. o. S. 39; das R der ersten Zeile ist unsicher; zwischen Z. 2 und 3 scheint nichts gestanden zu haben.

? ? G]er[m(anico) maximo in]vict[o Aug(usto).

Nr. 40.

IMP Q
MESSIO
DECCIO   sic
TRAIAN

Vergl. o. S. 39; nach Photographie und Gipsabguss.

Imp(eratori) Q(uinto) Messio Deccio Traian(o).

Decius wurde am Ende des Jahres 248 zum Kaiser ausgerufen, seine beiden Söhne, der in den folgenden Inschriften zweimal genannte Q. Herennius Etruscus Messius Decius und C. Valens Hostilianus Messius Quintus wurden sofort zu Cäsaren und später auch zu Mitregenten ernannt. Decius und Herennius Etruscus fielen im Sommer 251 in der Dobrudscha im Kampfe gegen die Gothen; der zweite Prinz wurde von dem nachfolgenden Kaiser Gallus zum Mitregenten angenommen; es ist zweifellos, dass auch er gleich seinem Bruder auf den Meilensteinen genannt war, vielleicht wird eine Untersuchung der verstümmelten Steine Reste seines Namens constatiren.

Nr. 40.

IMPO   sic
MESSIO
DECCIO   sic
TRAIANO

Vergl. o. S. 39; nach Photographie und Gipsabguss.

Imp(eratori) Q. Messio Deccio Traiano.

Auffallend ist die Auffindung zweier Inschriften eines und desselben Kaisers in derselben Meilensteingruppe; an eine doppelte Reparatur der Strasse unter Decius kann man bei seiner kurzen Regierungsdauer nicht denken: vielleicht mündete hier eine andere Strasse ein.

Von den vier übrigen auf demselben Platze gefundenen Meilensteinen wird einer dem Sohne des Decius Herennius Etruscus gehört haben (s. u.).

Nr. 43.

ETRVSCO

Vergl. o. S. 39: nach Photographie und Gipsabguss.

[Imp(eratori) Caes(ari) Herennio] Etrusco (vergl. Nr. 44).

Nr. 44.

IMPCAE
SHEREN
NIOAETR   sic
VSCO

Vergl. o. S. 39; nach Photographie und Gipsabguss.

Imp(eratori) Caes(ari) Herennio Aetrusco.

Nr. 44.

MPC
CITV
CTVS.

Vergl. o. S. 39; nach Photographie und Gipsabguss.

[I]mp(erator) C[aes(ar) M.Cl(audius) Ta]citu[s P(ius) F(elix) invi]ctus A[ug(ustus)]].
Tacitus regierte von Ende 275 bis Anfang 276.

Nr. 44.

D ᴗ
AVRELI
ANVS

Vergl. o. S. 39; nach Photographie und Gipsabguss.

Do[mitius] Aurelianus zu lesen scheint mir nicht zulässig, da wie in Z. 1 so in Z. 2 zum Schluss noch etwas gefolgt sein wird, vielleicht *Aureli[us Valerius Diocleti]anus* oder *Maximi]anus*.

Nr. 46.

Bruchstück gefunden bei Lukavica (vergl. o. S. 39).

MP
ᵛOLVS
ANO
AVC

Nach Photographie und Gipsabguss.

Imp(eratori) [Caes(ari)] Volus[i]ano Aug(usto).

Römische Strassen durchquerten bereits unter Tiberius das heutige Bosnien; die Strasse Narona—Sarajevsko polje ist vermuthlich unter Augustus in Angriff genommen worden, es ist also mehr als wahrscheinlich, dass der Bau der Fortsetzung derselben, die Strasse Sarajevsko polje—Drinathal einer sehr frühen Zeit angehört. Die Nachrichten, die wir über sie besitzen, gehören jedoch erst dem dritten Jahrhundert an; es werden als Wiederhersteller genannt: Philippus, dessen Namen wir bereits mit der Strasse Narona—Sarajevsko polje verknüpft fanden, Decius und dessen Sohn Herennius Etruscus und Volusianus, der Sohn des Gallus. Philipp, Decius und Gallus folgten in der Herrschaft unmittelbar aufeinander; die Restaurirungsarbeiten sind also entweder nicht ausreichend gewesen und machten Nachbesserungen in kürzester Zeit wieder nöthig, oder sie nahmen längere Zeit in Anspruch und die dieser Zeit angehörigen Kaiser liessen nicht blos auf der von ihnen wirklich ausgebesserten Strecke Meilensteine mit ihrem Namen errichten, sondern längs der ganzen Strasse. Das Letztere ist das Wahrscheinlichere. Mit der Reparatur wird man unter Philipp oder, wenn wir die Daten der Strasse Narona—Sarajevsko polje auf diese Strasse anwenden dürfen, unter Maximinus begonnen haben. Unter Tacitus und vielleicht unter Diocletian ist die Strasse abermals restaurirt worden.

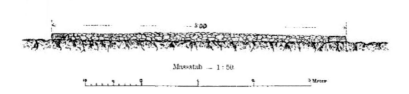

Maßstab — 1 : 50.

Fig. 1. Querprofil der Römerstrasse (Sacorian) bei Hardomilje nächst dem Dorfe Zvirići.

Fig. 3. Schematische Darstellung der Spurrillen.

Fig. 6. Römerstrasse bei Liro gegen Proslap.

83

Fig. 9. Römerstrasse Sarajevo—Podromanja—Drinathal.

Fig. 10. Römischer Meilenstein Nr. 87 am Wege nach Mlinište,
Strasse Salona—Servitium.

Abb. 12 Römische Meilensteingruppe Nr. 44 der Straße Sarajevo—Romania-Planina—Drinatal

Abb. 11 Römischer Meilenstein Nr. 34 der Straße Salona—Servitium

Fig. 16. Grabmonument aus Crkvina bei Šipovo.

Fig. 16. Damm bei Prskala staje.

97

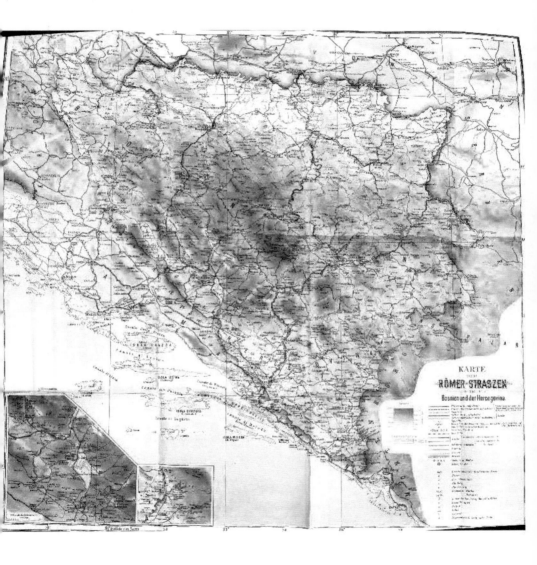

KARTE
DER
RÖMER-STRASZEN
IN
Bosnien und der Hercegovina.